図解即戦力

豊富な図解と丁寧な解説で、
知識0でもわかりやすい！

SDGsの考え方と取り組みがしっかりわかる教科書

これ1冊で

バウンド 著

技術評論社

❖ はじめに

SDGs（持続可能な開発目標）は、2015 年に国連が採択した 2030 年までに達成を目指す 17 の目標です。昨今、ビジネスにおいて SDGs という言葉はキーワードになっていますが、その内容について、理解している人はまだ多くはありません。

世界には、貧困、環境破壊、地球温暖化、人種差別、児童労働など、解決すべきさまざまな問題が山積しています。SDGs はこれらの問題をただ解決するだけなく、経済成長に結び付けることも目指しています。

本書では、その SDGs をさまざまな側面から解説しながら、より多くの人がより深く理解できることを目指しています。

第 1 章で SDGs の基本に触れながら、なぜ取り組まなければいけないのかをまとめました。第 2 章では、SDGs をより深く理解するためのヒントになるように、さまざまな切り口から SDGs について考えていきます。

SDGs は世界中の人々が取り組まなければならないものです。第 3 章では、個人として SDGs の達成にどのように貢献できるかを考えていきます。

第 4 章から第 6 章では、企業が SDGs に取り組むメリットやどのように企業活動に SDGs を組み込むかを考えたり、SDGs と投資の関係を明らかにしながら、企業が環境、社会、企業統治に配慮する必要性を理解し、SDGs に取り組み成果を上げる企業や自治体などの事例を紹介しています。

SDGs は世界共通の目標です。第 7 章では日本のみならず　世界の国々の進捗状況を簡単に概観していきます。

付録では SDGs の 17 の目標と 169 のターゲットを掲載しています。

今後、SDGs の重要性はますます増していくはずです。本書が SDGs の理解に、またビジネスチャンスにつなげることにお役に立てれば幸いです。

2020 年 10 月
バウンド

SDGs×バリューチェーン・マップ

企画・設計

《包装》

- 梱包材の重量やサイズの削減

12.5

- リサイクル可能率と"循環性"の最大

12.5

《設計》

- 製品ライフサイクルの環境に配慮した設計

該当なし

- 消費者の健康に配慮した設計

3.8、3.9

- 製品の重量やサイズの削減

該当なし

- リサイクル可能率と"循環性"の最大設計

6.4、12.5

調達（購買物流）

《原材料および部品》

- より持続可能な代替案の準備

12.2

- 開発におけるNo Net Loss やNet Gain

7b、9a、14.2、14.5、15.1、15.2

《サプライヤーとの関係》

- サプライヤーの管理体制の構築と支援・育成

2a、8.3、12a、16.5、17.3、17.7

- 地域（小規模）サプライヤーからの供給

2.3、9.2、9.3、11.a

- 持続可能なサプライヤーからの供給

2.4、9.2、9.4、11.a、12.7

生産・製造

《生産拠点》

- 立地決定における持続可能性基準の考慮

9.1、9.2、9.4、11.c

《生産工程》

- エネルギーや水の使用量と排出量の削減

6.4、7.3、9.4、11.6

- 廃棄物管理の一元化と最適化

9.4、11.6、12.5

横断的取り組み

《技術》

- バリューチェーンの可視化と改善（データの有効性と分析）

6.4、7.3、9.4、12.7

- 製品のトレーサビリティにおける技術の適用

9.4

《労働基準》

- 公正な賃金と労働者権限の実行

1.4、2.3、8.5、8.7、8.8、10.1、10.2、10.3、16.6

事業プロセスとゴール&ターゲットの関係がひと目でわかる！

輸送（出荷物流）

《革新的な流通経路》

- クラウドシッピング販売

9.4

販売（流通）

- より消費者に近い小売業者の開発と支援・育成

9.2

《車両の最適化》

- 革新的な車両技術

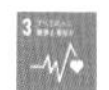

3.6、9.4

- 代替燃料の使用

7.2、12.2

《物流網と倉庫》

- 分散型流通ネットワークの検討

9.4

- スマートでグリーンな建物配備

9.4

- 設備と輸送のネットワークの共有

9.4

《輸送計画と実行》

- 輸送計画の最適化（車両の高度利用や走行距離の減少など）

9.4

- より持続可能な輸送形態の使用（インターモーダル輸送等）

9.4

- バリューチェーンの短縮（調達においても同様）

9.2

消費・使用・廃棄

《処分》

- 製品の環境に配慮した処分の支援

11.6

《マテリアルフローの循環》

- 資源のリサイクル

9.4、11.6、12.5

- 資源の再利用

6.4、9.4、11.6、12.5

※各目標のアイコンの下にある数字・アルファベットは「ターゲット」を表しています。
詳しくは、付録（P.201）を参照してください。

横断的取り組み

- 高い環境、健康、安全基準の実施

8.8

《投融資》

- 責任投資、環境格付融資、自然資本価値評価

1a、2a、7a、8.10、13a、15a、15b

所：環境省「すべての企業が持続的に発展するために －持続可能な開発目標（SDGs）活用ガイド－ 資料編」より作成

Contents

CHAPTER 2

CHAPTER 3

CHAPTER 4

CHAPTER 7

付録

ご注意:ご購入・ご利用の前に必ずお読みください

Chap

1

なぜSDGsに取り組まなければならないのか？

「SDGs」という言葉をよく目にするようになりました。

なぜSDGsが注目を浴びているのでしょうか。

それは、SDGsが世界規模の課題を解決するための目標だからです。

では、世界にはどんな課題があるのでしょうか。

今、世界が抱える課題を確認しながら、

SDGsの基本的知識について説明します。

SECTION 01

国連全加盟国が一丸となって2030年までの達成を目指す

SDGsは17からなる地球規模の達成目標

国連が採択した2030年までに達成を目指す世界共通の目標がSDGsです。その詳しい内容を理解する前に、SDGsの17の目標がどんなものなのか確認しておきましょう。その目標を見るだけでも、世界が解決するべき課題が見えてきます。

17の目標には、世界の課題が凝縮されている

2015年9月、ニューヨークの国連本部で行われた国連持続可能な開発サミットで「持続可能な開発のための2030アジェンダ（以下、2030アジェンダ）」が採択されました。その中核をなすのが、「SDGs（エスディージーズ）」です。

SDGsは、「Sustainable Development Goals（持続可能な開発目標）」の略称で、国連に加盟する全193カ国が達成を目指す2016年から2030年までの国際目標です。

右ページを見るとわかるように、全部で17の目標が設定されています。いずれの目標も、目標①「貧困をなくそう」、目標②「飢餓をゼロに」といったようにシンプルに表現されているものばかりです。裏を返せば、これらの目標を解決しようとしているところに、世界が解決しなければいけない問題があるということです。

アントニオ・グテーレス
2017年から第9代国連事務総長を務めるポルトガル出身の政治家。1995年から2002年までポルトガル首相を務め、2005年6月～2015年12月には国連難民高等弁務官を務めた。

SDGsの達成状況は、はかばかしくない

2030アジェンダの採択から4年経った2019年9月に国連本部で行われた「SDGsサミット2019」では、アントニオ・グテーレス国連事務総長が、「私たちは取り組みをさらに強化しなければなりません。今こそ、個人的にも集団的にも大胆なリーダーシップが必要なのです」と世界の人々に約束を守るよう強く訴えました。グテーレス国連事務総長がこうした発言をしたのは、持続可能な開発のための2030アジェンダの採択から4年経ってもSDGsの取り組みが進んでいない現状を憂慮したからです。

SDGsの17の目標

【目標1】
貧困をなくそう

【目標2】
飢餓をゼロに

【目標3】
すべての人に
健康と福祉を

【目標4】
質の高い教育を
みんなに

【目標5】
ジェンダー平等を
実現しよう

【目標6】
安全な水とトイレ
を世界中に

【目標7】
エネルギーをみんなに
そしてクリーンに

【目標8】
働きがいも
経済成長も

【目標9】
産業と技術革新の
基盤をつくろう

【目標10】
人や国の不平等
をなくそう

【目標11】
住み続けられる
まちづくりを

【目標12】
つくる責任
つかう責任

【目標13】
気候変動に
具体的な対策を

【目標14】
海の豊かさを
守ろう

【目標15】
陸の豊かさも
守ろう

【目標16】
平和と公正を
すべての人に

【目標17】
パートナーシップで
目標を達成しよう

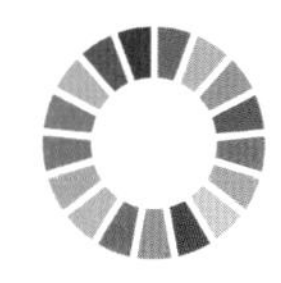

出所:国連広報センター

SECTION 02

世界で起こる問題の原因の多くは人間自身にある

世界には解決すべきさまざまな問題がある

日本では毎年のように起きる水害、いつ起こるかわからない大地震、経済格差や性差別などさまざまな問題があります。世界に目を向ければ、日本では考えられないような問題も多く起こっています。

地球上に解決すべき問題が山積している

世界は、貧困、経済格差、気候変動、人種差別、性差別など、さまざまな問題・課題に直面しています。それを大別すると、**「環境問題」「社会問題」「経済問題」**の3つに集約できます。

2020年5月25日、アメリカのミネソタ州ミネアポリス近郊で、黒人男性ジョージ・フロイドさんが白人の警察官に不適切に拘束され死亡させられたのきっかけに起こった「ブラック・ライブズ・マター（黒人の命は大切）」運動は記憶に新しいところです。アメリカにおける根強い黒人差別があることを改めて世界に知らせることになりました。

ブラック・ライブズ・マター
2012年2月にフロリダ州で起こった黒人の若者が射殺された事件で、射殺した警備員に無罪判決が出たことをきっかけに、ソーシャルメディア上で#BlackLivesMatterというハッシュタグが広まった。

アフガニスタンやイラク、シリアでは戦闘が続いており、多くの人が故郷を追われて難民になっています。途上国の貧困もなくなっていませんし、先進国でも経済格差の拡大が大きな問題になっています。

日本でも「過去に経験したことがない」レベルの豪雨が頻繁に起こっており、毎年のように洪水が発生しています。自然災害も増えています。

絶滅しそうな動物も増えていますし、バッタが異常発生して農作物を食べつくす大規模な蝗害（こうがい）も世界各地で起こっています。そして、2019年に中国湖北省武漢市で発生したとされる新型コロナウイルスのパンデミック（世界的大流行）で世界は大混乱に陥り、多くの人命を失っただけでなく、莫大な経済的損失を生み出しました。

蝗害（こうがい）
大量発生したバッタ類による農作物の被害のこと。2020年にはアフリカ東部で発生したサバクトビバッタ（写真）が、中国付近まで到達し、広範囲にわたるエリアで農作物に被害が出た。

世界で起こっているさまざまな問題

環境問題

- 地球温暖化の進展
- 水問題の深刻化
- 自然災害の増加
- エネルギー問題の深刻化
- 生物多様性の喪失
- 気候変動の激化　など

社会問題

- 貧困
- 感染症の流行
- 教育機会の不平等
- さまざまな差別とハラスメント
- 少子高齢化・人口爆発
- 紛争の長期化・複雑化　など

経済問題

- 経済危機の頻発
- 経済格差の拡大
- 社会福祉財源の不足
- 雇用なき都市化の進行
- 若年失業率の高さ　など

このまま問題を放置すれば、「持続可能な開発」はできなくなり、世界は立ち行かなくなる！

このようにさまざまな問題が起こっていますが、**問題の原因を突き詰めていくと、そこには私たち「人間」の行為に行き着くことばかり**です。差別する心をもつのは人間ですし、動物を乱獲するのも人間です。経済的利益のために人間が環境を破壊していなければ、地球温暖化も起こっていないでしょう。

私はこうしたさまざまな問題に無関心ではいられなくなっています。P.18で紹介するように、このままでは地球はもたない状態になっているからです。

SECTION 03

すでに一部では地球は限界を超えている

このままでは地球はもたなくなっている

海洋汚染、大気汚染、地球温暖化、大規模な山火事など、環境破壊に関するニュースを目にすることが多くなっています。しかし、環境破壊の影響を体感することはそう多くはないかもしれません。では、客観的に見て地球環境はどのような状態なのでしょうか。

すでに地球環境は危機的状況に陥っている

SDGsに取り組まなければいけないのは、端的にいえば、人間が環境保護や人権を考慮せず、利益を追求してばかりいると、世界が立ち行かなくなるからです。

たとえば、2019年8月にブラジル北部アマゾンの熱帯雨林で発生した過去最大規模の火災の一因は、「環境保護」よりも「経済成長」を優先したブラジルのジャイール・ボルソナロ大統領の政策にあるといわれています。アマゾンの熱帯雨林は大量の二酸化炭素を吸収して酸素を吐き出す「地球の肺」といわれており、ここでの火災は地球全体に影響を与えかねません。遠く離れた場所で起こったことでも他人事ではないのです。

ジャイール・ボルソナロ
1955年生まれ。ブラジル第38代大統領。2019年1月1日に大統領に就任した。ポピュリスト（大衆・人民主義者）的で粗野な言動から「ブラジルのトランプ」と呼ばれることも。2020年7月に新型コロナウイルスに感染したが、それでもコロナ対策より経済を優先する対応をとり続けた。

むやみに森林を伐採すれば、環境は破壊され、生物多様性は失われ、将来的に自然の恵みを享受できなくなるということです。

地球環境に関しては、地球で人類が安全に活動できる範囲を科学的に定義し、定量化して示した「プラネタリー・バウンダリー（地球の限界）」という概念があります。これを見ると、地球はすでにいくつかの点で限界に達しているとされています。

この状況を放置すれば、めぐりめぐって世界経済に悪影響を及ぼします。たとえ、地球の裏側で起こったことでも、すべての人が「地球の住人」であると考えれば、他人事ではありません。**「自分たちさえよければいい」では、結果的に自らの首を締めることになります。SDGsは私たち人類と地球の環境を守るためにも達成しなければいけないのです。**

プラネタリー・バウンダリー

プラネタリー・バウンダリーとは?

限界を越えると、人間が依存する自然資源に対して回復不可能な変化が引き起こされるものを定義する概念。9つの環境要素のうち、「生物種の絶滅の速度」と「生物地球化学的循環」は、高リスクの領域にあり、「気候変動」と「土地利用変化」は、「リスク増大」の領域に達しているとされる。

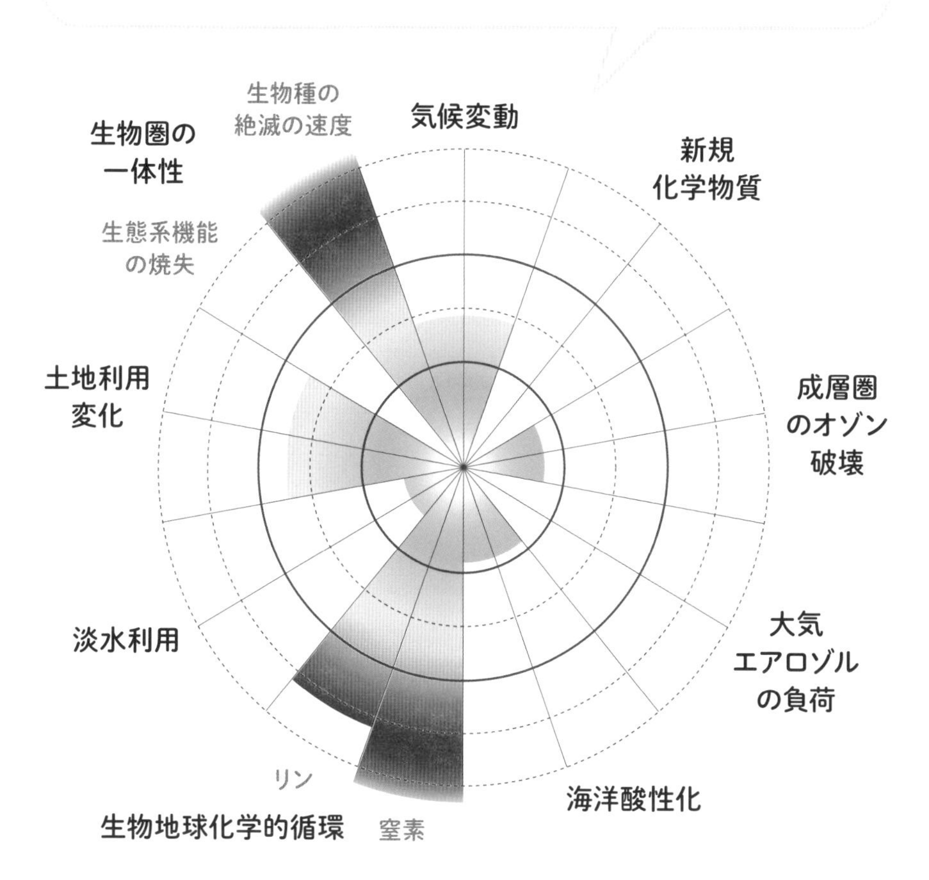

不安定な領域を超えてしまっている(高リスク)
不安定な領域(リスク増大)
地球の限界内(安全)

出所:Will Steffen et al.「Planetary boundaries :Guiding human development on a changing planet」、環境省

SECTION 04

SDGsを知るうえで知っておくべき言葉

「持続可能な開発」とは?

SDGsは日本語で「持続可能な開発目標」と訳されます。ところで、「持続可能な開発」とは一体どんなことを指すのでしょうか。その言葉が具体的にどのようなことを指しているのか、その定義を確認しておきましょう。

「持続可能な開発」に必要な3つの要素

SDGs(持続可能な開発目標)を理解するには、「持続可能な開発」の意味を理解する必要があります。

国連は「持続可能な開発」を「**将来の世代の欲求を満たしつつ、現在の世代の欲求も満足させるような開発**」と定義しています。

具体的には「持続可能な開発」は、次の3要素の調和が求められています。

①経済開発……経済活動を通じて富や価値を生み出していくこと

②社会的包摂……社会的に弱い立場の人も含め、一人ひとりの人権を尊重すること

③環境保護………環境を守っていくこと

社会的包摂
難しい言葉だが、反対の概念は「社会的排除」であると考えるとわかりやすいかもしれない。子ども、障害者、高齢者、難民、移民などの弱い立場の人々が排除されずに社会に参加して、それぞれが持つ潜在的能力を発揮できる環境を整備することを指す。

3要素のどれも欠けてはいけない

過去を振り返ると、経済開発と環境の劣化との関係が初めて国際的な議題となったのは、1972年にストックホルムで開催された「国連人間環境会議」でした。このときの決議により国連環境計画(UNEP:United Nations Environment Programme)が設立されました。以降、世界の主導的な環境機関となったUNEPは、世界の環境資源を保護する一方で、自由な経済成長だけに基づく開発に代わるものとして「持続可能な開発」という新しい概念を提唱してきました。

1992年の国連地球サミットでは、「持続可能な開発」という考え方を人権、人口、社会開発、人間居住の問題と結びつけ、環

国連環境計画(UNEP)
1972年に設立された国連諸機関の環境に関する活動を総合的に調整管理し、国際協力を促進していくことを任務とする国際機関。

SDGsに求められる3要素の調和

環境保護
Environmental Protection
環境を守っていくこと

社会的包摂
Social Inclusion
社会的に弱い立場の人も含め、一人ひとりの人権を尊重すること

持続可能な開発
Sustainable Development

経済開発
Economic Development
経済活動を通じて富や価値を生み出していくこと

境問題に関する世界的な取り組みに大きな影響を与える理念となりました。

国連がSDGsをつくらなければいけなかったのは、人類が環境や人権を犠牲にして経済成長を追い求めてきたことで、地球にさまざまなひずみが出てきたためです。

たとえば、貧困問題を解決すれば、貧しかった人が購買力をもつことで市場拡大につながります。そうなれば、経済のさらなる発展が期待できるのに、貧困問題を放置すれば貧しい人が苦しい生活を続けなければいけないだけでなく、経済にとってもマイナスです。環境破壊がさらに進めば、環境からの恵みを受けられなくなります。そうなれば、経済にマイナスはあってもプラスがないことは言うまでもなくわかるはずです。

「持続可能な開発」は、「経済開発」「社会的包摂」「環境保護」の３つをどれも欠くことなく、いかに並び立たせるかを考えなければいけないのです。

SECTION 05

経済優先をやめない大人たちに怒る若者たち

未来の地球環境を危惧して若い世代が動き始めた

SDGsの大きな柱のひとつは地球環境を守ることです。若者たちは自分が大人になるころの地球環境を案じ、強烈な危機感を募らせています。そして、地球環境を破壊し続けてきた大人たちの考えを改めさせるべく行動を起こし始めています。

グレタ・トゥンベリさんが与えた影響

2019年9月、国連本部で開かれた「国連気候変動サミット2019」で、16歳（当時）のスウェーデン人環境活動家グレタ・トゥンベリさんが各国の首脳を前に行ったスピーチが世界中で大きな話題になりました。

彼女は怒りをにじませて言いました。

「人々は苦しんでいます。人々は死にかけています。生態系全体が崩壊しています。私たちは大規模な絶滅の危機に瀕しています。大人が話すのは、お金と経済成長がいつまで続くのかというおとぎ話です。よくもそんなことができますね！」

地球温暖化や生態系の破壊を顧みず、これまでに経済を優先し、次世代に問題を先送りしてきた大人たちを痛烈に批判したのです。そして「若い世代はあなたたちの裏切りに気づき始めている。私たちは決してあなたたちを許さない」と涙ながらに訴えました。

彼女の行動は、車社会の否定、飛行機の使用限定、プラスチック使用反対、商品購入のカーボン・フットプリント（CO2の排出量）の重視など、若者の意識やライフスタイルに影響を与えたといわれています。

2019年9月の「国連気候行動サミット」が開かれるのを前に、世界各地で行われた地球温暖化対策を訴える「世界気候ストライキ」に161カ国で中高生を中心に約400万人が参加したのは、象徴的な出来事でした。主催者によると、ドイツで140万人、オー

国連気候変動サミット2019
2019年9月23日に、グテーレス国連事務総長による各国への呼びかけで、ニューヨークの国連本部で開催された国連気候変動サミットのこと。10年間で温室効果ガス排出量を45%削減することなどを求めた。直後に「SDGsサミット2019」も開催された。

グレタ・トゥンベリ
2003年、スウェーデン・ストックホルム生まれの環境活動家。15歳だった2018年に温暖化対策をとらない大人へ抗議するため、スウェーデン議会前に座り込むストライキを始めると、若者を中心に世界中から賛同する声が広がった。2019年には、気候変動抗議運動の世界的中心人物として、米誌タイムの「今年の人」に史上最年少で選出された。

➡「気候のための学校ストライキ」をするグレタ・トゥンベリさん

グレタ・トゥンベリさんは、2018 年夏から気候変動に対する政府の無策に抗議するため国会議事堂前での座り込みを始めた。毎週金曜日に行ったことから「未来のための金曜日(Friday for Future)」と呼ばれ、そのムーブメントは世界中に広がった。そして国連気候行動サミット開催前に行われた 2019 年 9 月 20 日のストライキでは 161 カ国で約 400 万人が参加した。

ストラリアで 30 万人、ニューヨークで 25 万人が参加したといいます。日本の参加者は約 5,000 人だったのは、欧米に比べて地球温暖化対策への関心が高くないことの表れかもしれません。

地球温暖化・気候変動に対して高まる危機感

こうしたムーブメントは欧州の有権者に影響を及ぼし始めています。

たとえば、2019 年 5 月に行われた EU 議会選挙において、ドイツでは緑の党が若者を中心に得票率を大きく伸ばしました。また、オーストリアでは 2019 年 9 月の総選挙で、「緑の党」系環境政党が得票率を 3 倍以上に増やしました。

日本の政界における緑の党の存在感は大きくありませんが、グレタさんの活動が脚光を浴び始めた 2018 年ごろから欧州では気候変動が重要な政治テーマになり、緑の党の存在感が増しています。

緑の党
環境保護、反原発、反戦、フェミニズムといった社会運動を母体にした政党および国際的な政治勢力のこと。1970 年代のオーストラリアで結成され、その後、欧州だけでなく、アメリカやアジアにも広まった。2001 年には 90 カ国の緑の党による国際組織「グローバル・グリーンズ」が結成された。日本でも 2012 年に結党した緑の党（現・緑の党グリーンズジャパン）が活動を行っている。

Liv Oeian / Shutterstock.com

SECTION 06

パンデミックがSDGsの進捗を遅らせるのは必至の情勢

新型コロナウイルスの感染拡大の影響を受ける途上国

中国の湖北省武漢市で発生したとされる新型コロナウイルスが世界中に拡散して、多くの感染者、死亡者を出しました。感染拡大を防ぐために各国政府がヒトやモノの流れを止め、世界の景気が悪化したことでSDGsの進捗にも悪影響が及んでいます。

新型コロナは貧困層に甚大な悪影響を及ぼす

新型コロナウイルスのパンデミックは、SDGsの進捗に悪影響を及ぼしており、とくに貧困層がその影響を受けています。

国連が公表した「The Sustainable Development Goals Report 2020」によると、**国際貧困線（1日1.9ドル）以下で生活する極度の貧困状態にある世界人口の割合は、2010年の15.7%から2015年には10.0%、2019年には8.2%まで減少してきましたが、新型コロナウイルスのパンデミックによって、2020年は1998年以来初めてとなる増加に転じると予測されています。**なかでも、南アジアと北アフリカ以外のアフリカでは、極度の貧困が最も増加し、パンデミックの結果として、それぞれ3,200万人、2,600万人が新たに国際貧困線以下で生活することになると見込まれています。

また、国連大学世界開発経済研究所（UNU-WIDER）によると、ロックダウンなどによる社会の停滞によって収入が減少することで、1日5.5ドル以下で暮らさなければならない人が新たに5億人も増えると予測されています。

国連のグテーレス事務総長が「新型コロナウイルスは、すべての国、すべての人に影響を与えているが、その影響や被害は平等ではない。すでにある世界の不平等や不正義をさらに悪化させている」と指摘したように、こうした影響はトイレも水道もないスラム、電気も通っていない農村など、もともと貧しい暮らしをしていた人々の暮らしを直撃しています。

国際貧困線
世界銀行が貧困を定義するためのボーダーラインのこと。世界各地の最新の物価データを基に決定されている。2008年から1日1.25ドルが国際貧困線とされてきたが、2015年10月以降は1日1.90ドルに改定された。

国連大学世界開発経済研究所（UNU－WIDER）
1985年にヘルシンキで設立された、国連大学初の研究・研修センターで、世界の最も貧しい人々の生活状態に影響を与える構造的変動について、学際的な研究と政策分析を行っている。

➔ 新型コロナのパンデミック前後の1日1.9ドル以下で暮らす人の割合

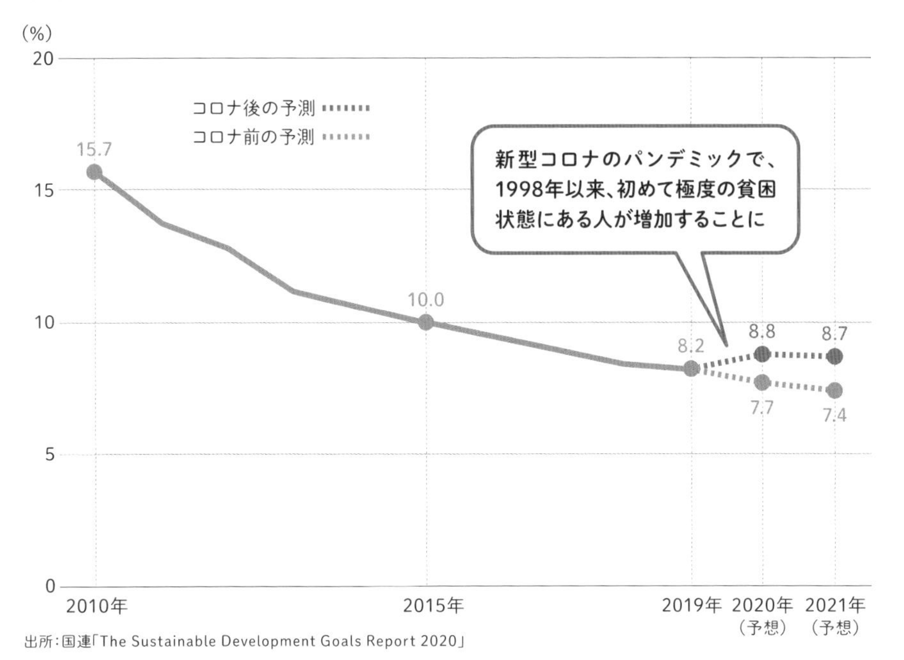

出所：国連「The Sustainable Development Goals Report 2020」

難局だからこそ、パートナーシップが求められる

感染拡大を防ぐためのロックダウンなどによって社会経済活動が止まって収入が失われると、貧困層が食料や水などの基本的なものを購入したり、医療や教育にアクセスできる可能性が下がり、児童婚、暴力や搾取、虐待のリスクが高まります。

そもそも、パンデミック以前から世界の3分の2の子どもはいかなる社会的保護も受けられていない状況にあり、とくにアフリカでは社会的保護の対象となっている子どもは約6人に1人だけでした。途上国の政府の財政が悪化すれば、医療や教育へのアクセスがさらに難しくなるかもしれません。

SDGsは、目標⑰「パートナーシップで目標を達成しよう」があるように、国、政府と民間、企業、個人などさまざまなレベルでの協力を求めています。**このような難局にあるときこそパートナーシップが求められているといえます。**

SECTION 07

SDGsに取り組むうえで必ず考慮しなければいけない

日本政府が掲げるSDGsの「5つの主要原則」

SDGsは17の多岐にわたる目標が設定されています。日本政府は「持続可能な開発目標(SDGs)実施指針」において、それらの目標達成に向かって行動するうえで、必ず考慮しなければいけない「5つの主要原則」を定めています。

SDGsに取り組むうえで常に意識すること

持続可能な開発目標(SDGs)推進本部
日本政府が、持続可能な開発目標(SDGs)に関する施策の実施について、関係行政機関相互の緊密な連携を図り、総合的かつ効果的に推進するために設置した組織。本部長(総理大臣)、副本部長(官房長官と外務大臣)、本部員(その他の全閣僚)で構成される。

2016年12月22日に日本政府の持続可能な開発目標(SDGs)推進本部が決定した「持続可能な開発目標(SDGs)実施指針」(P.56)で、SDGsに取り組むにあたって課題や分野に関係なく適用されるべき「5つの主要原則」を掲げています。

簡単にいえば、**SDGsに関する新たな取り組みや、これまでやってきた取り組みを修正する際には、この「5つの原則」に沿わなければいけない**ということです。

①普遍性……国内実施と国際協力の両面で率先して取り組み、国内の取り組みでも国際目標達成に向けた努力としての側面があることや、逆に国際協力にも繁栄の基盤を支える意義があることを意識し、また、個別のテーマでも国内実施と国際協力を連携することが有意義であることを認識して取り組む必要があります。

②包摂性

「誰一人取り残さない」は、SDGsの根底に流れる基本的理念です。あらゆる課題への取り組みにおいて、脆弱な立場に置かれた人々にも焦点を当てることが求められています。また、国際社会における人権の尊重とジェンダー平等は、SDGsの全目標の実現に不可欠なものです。あらゆる取り組みにおいて常にそれらの視点を確保し施策に反映されていることが重要です。

ジェンダー
生物学的な性別に対して、男性と女性の役割の違いによって生まれる社会的・文化的につくられる性別のこと。

③参画型

脆弱な立場におかれた人々を含む一人ひとりが、施策の対象と

日本政府が示した「5つの主要原則」

普遍性	国内実施と国際協力の両面で率先して取り組む
包摂性	人権の尊重とジェンダー平等の実現を目指し、脆弱な立場の人々まで、誰一人取り残さない
参画型	あらゆるステークホルダーや当事者の参画を重視し、全員参加型で取り組む
統合性	経済・社会・環境の3分野の統合的解決の視点を持って取り組む
透明性と説明責任	取り組み状況を定期的に評価、公表する

出所：持続可能な開発目標（SDGs）推進本部「持続可能な開発目標（SDGs）実施指針」

して取り残されないことを確保するのみならず、自らが当事者として主体的に参加し、持続可能な社会の実現に貢献できるよう、あらゆるステークホルダーや当事者の参画を重視し、全員参加型で取り組むことが求められています。

④統合性

SDGsは、経済・社会・環境の３分野の相互関連性・相乗効果を重視しつつ、統合的解決の視点を持って取り組む必要があります。経済だけ重視した取り組みも、環境・社会に配慮するあまり経済的に発展しない取り組みでもいけません。

⑤透明性と説明責任

全員参加型の取り組みであることを確保するうえでも、透明性と説明責任は重要です。政府の取り組みの実施の状況について高い透明性を確保して定期的に評価・公表して説明責任を果たし、新たな施策の立案や施策の修正に当たっては公表された評価の結果を踏まえて行います。

ステークホルダー
利害関係者のこと。金銭的な利害関係だけでなく、関わるすべての人のことを指す。たとえば、企業のステークホルダーは、株主だけでなく、従業員、金融機関、消費者、地域住民なども含む。

SECTION 08

SDGsの基本理念

SDGsは「誰一人取り残さない」世界の実現を目指す

2015年に開かれた国連のサミットで採択された「持続可能な開発のための2030アジェンダ」の中核となるSDGsは、17の目標について地球上の「誰一人取り残さない」世界の実現を目指しています。

SDGsが目指すものを象徴する考え方

極度な貧困
世界銀行は、2015年10月に「極度の貧困」の定義を「1日1.25ドル」から「1日1.90ドル」に変更した。

極度な貧困に陥っている人の数は漸減傾向にあり、大きく減少しています。P.24でも触れたように、2019年後半から世界中に広がった新型コロナウイルスの影響で、残念ながら経済的に困窮する人は世界で7,100万人も増えると予測されていますが、長期的なトレンドを見れば、着実に良い方向に向かっています。しかし、日本の人口の約6倍にあたる7億人以上もの人が極度の貧困状態にある事実に着目しなければいけません。

SDGsは、脆弱な立場の人々に焦点をあて、地球上の「誰一人取り残さない」ことを基本理念にしているからです。

たとえば、目標①「貧困をなくそう」では、「2030年までに、現在1日1.25ドル（約130円）未満で生活する人々と定義されている極度の貧困をあらゆる場所で終わらせる」ことを目指しています。たとえ極度の貧困に陥っている人が数億人単位で減っても世界中に1日1.25ドル未満で暮らす人がいなくならなければ、目標達成したことにはなりません。減っているだけでは満足してはいけないのです。

想像力を使ってイメージしないといけない

「誰一人取り残さない」は誰もがその重要性を理解できるフレーズです。しかし、私たち日本人で1日1.25ドル未満で暮らす人は多くはありません。そうした生活を経験していなければ、実感をもってイメージすることは難しいでしょう。蛇口をひねって飲

世界にはまだ取り残されている人がたくさんいる

2015年時点で
7億3,600万人が

極度の貧困の中で暮らす

2017年時点で
8億2,100万人が

栄養不良に陥っている

2017年時点で
6億7,300万人が

屋外排泄を行っている

2018年時点で
都市住民の4人に1人が

スラムのような環境で生活

出所：国際連合広報センター「持続可能な開発目標（SDGs）報告2019」

み水が出るのが当たり前な日本人にとって、飲み水の確保に苦労する人の生活の困難さを想像することは難しいでしょうし、ミャンマーで迫害される少数民族ロヒンギャの人々の怒りや悲しみを理解することは難しいでしょう。

だからこそ、**貧困や人種差別などの問題に興味をもち、その現状を知ることは重要です。**関心を持てば、脆弱な立場にいる人たちの苦しみを少しはイメージできるはずですし、それが問題解決のための行動を起こすためのきっかけになるかもしれません。

そして、自分自身が「脆弱な立場だったら」とイメージしてみるもひとつの方法です。そのときに周囲の人々に苦しい状況を理解してもらえないとしたら、どう感じるでしょうか。周囲の人にどんな助けを求めるでしょうか。

世界中の多くの人々が想像力を働かせて、脆弱な立場に置かれている人に思いを寄せ、「誰一人取り残さない」こと目指さなければ、2030年までに目標を達成するのは難しいでしょう。

ロヒンギャ
ミャンマーに住むイスラム系少数民族のこと。仏教国であるミャンマー国内で激しい迫害を受けており、隣国バングラデシュに85万人以上の難民が逃げている。ミャンマー政府の治安部隊とみられる組織的な村の焼き討ちなどが行われており、国際社会からミャンマー政府に対する批判が高まっている。

Sk Hasan Ali / Shutterstock.com

SECTION 09

17の目標が目指す「より具体的な目標」がターゲット

目標とともに設定された169の「ターゲット」とは？

SDGsには17の目標が設定されていますが、それぞれの目標には、より具体的な目標であるターゲットが設定されています。このターゲットを知ることで17の目標が目指すものがより明確に見えてきます。

17の目標を達成するための具体的な目標

SDGsの17の目標には、それぞれに「より具体的な未来の理想像」を示した「ターゲット」が設定されています。SDGs全体で169のターゲットがあります（詳しくは「付録」参照）。

たとえば、目標①のターゲットは、「1.1、1.2……」「1.a、1.b……」、目標②のターゲットは「2.1、2.2……」「2.a、2.b……」のように、数字だけのものと数字のあとがアルファベットで表記されるものの2つのタイプで示されます。

数字のみのものは「目標の中身に関するターゲット」で、より具体的な目標が示されています。

たとえば、目標①の「1.1」では、「1日1.25ドル（約130円）未満で生活する極度の貧困を終わらせる」をターゲットにしています。しかし、日本では1日1.25ドル未満で生活する絶対的貧困状態にある人はごくまれです。

「1.2」では、貧困状態にある人の半減をターゲットにしています。日本には、1日1.25ドル未満で生活する絶対的貧困に陥っている人はまれですが、「相対的貧困」に陥っている人は15.6％（2015年、OECD）もいます。「日本には1日1.25ドル以下で生活する人なんていないから関係ない」ではなく、相対的貧困を貧困と考えて、その半減を目指して行動しなければいけません。

このように国の状況に応じてターゲットを解釈することも必要です。

一方、**アルファベットで表記されるターゲットは、「ターゲッ**

相対的貧困
その国・地域の水準で比較して大多数よりも貧しい状態のこと。具体的には、世帯所得がその国・地域の等価可処分所得の中央値の半分（相対的貧困線）に満たない状態のことをいう。たとえば、日本の場合、3人世帯では、所得が211万5,000円以下（2015年時点）の世帯が相対的貧困に該当する。

➔ 目標①「貧困をなくそう」の7つのターゲット

あらゆる場所のあらゆる形態の貧困を終わらせる

目標の中身に関するターゲット

1.1	2030年までに、1日1.25ドル未満で生活する人々と定義されている極度の貧困をあらゆる場所で終わらせる
1.2	2030年までに、各国定義によるあらゆる次元の貧困状態にある、すべての年齢の男性、女性、子どもの割合を半減させる
1.3	各国において最低限の基準を含む適切な社会保護制度および対策を実施し、2030年までに貧困層および脆弱層に対し十分な保護を達成する
1.4	2030年までに、貧困層および脆弱層をはじめ、すべての男性および女性の経済的資源に対する同等の権利、ならびに基本的サービス、オーナーシップ、および土地その他の財産、相続財産、天然資源、適切な新規術、およびマイクロファイナンスを含む金融サービスへの管理を確保する
1.5	2030年までに、貧困層や脆弱な立場にある人々のレジリエンス（強靱性）を構築し、気候変動に関連する極端な気象現象やその他の経済、社会、環境的打撃や災害に対するリスク度合いや脆弱性を軽減する

ターゲットを実施する手段

1.a	あらゆる次元での貧困撲滅のための計画や政策を実施するべく、後発開発途上国をはじめとする開発途上国に対して適切かつ予測可能な手段を講じるため、開発協力の強化などを通じて、さまざまな供給源からの多大な資源の動員を確保する
1.b	各国、地域、および国際レベルで、貧困層やジェンダーに配慮した開発戦略に基づいた適正な政策的枠組みを設置し、貧困撲滅のための行動への投資拡大を支援する

トを実施する手段」を示したものになっています。

上図の「1.a」では、とくに開発途上国を中心とする貧しい暮らしをしている人を助けるべく国際レベルで政策的な仕組みをつくることを求めています。

本書の付録には、各目標のターゲットも掲載しています。このようにターゲットまで見ていけば、その目標が何を目指して設定されたもので、どんなことを目指しているのかがより明確になります。

SECTION 10

SDGsの目標は複雑に関係し合っている

SDGsはさまざまな問題の同時解決を目指す

解決すべき課題・問題の多くは負の連鎖を引き起こしており、その問題をより深刻で複雑なものにしています。SDGs はさまざまな負の連鎖を断ち切り、正の連鎖をつくることでさまざまな問題を同時に解決することを目指しています。

正の連鎖でより良い世界を目指す

SDGs の 17 の目標は、それぞれが独立しているわけではなく、相互に関連しています。たとえば、目標①「貧困をなくそう」を解決すれば、貧しさから学校に通えない子どもの減少につながるため、目標④「質の高い教育をみんなに」の達成にも深く影響します。

たとえば、右ページのように、目標⑫のターゲット 12.3「食品ロスの減少」を目指すと、同じ目標⑫ 12.2、12.5 に貢献するだけでなく、目標⑧、目標⑬の達成に寄与できます。その試みは飢餓で苦しむ人々に食糧を回すことにつながり、貧困の撲滅（目標①）に寄与する効果を期待できます。

また、食品ロスをなくそうという意識を持つ人を増やすためには、教育による正しい知識の習得（目標④ターゲット 4.7）が役立つことがわかります。

このように、「食品ロスをなくす」取り組みを行うだけでも、SDGs のさまざまな目標と関係してくるわけです。

逆の見方をすれば、貧困は飢餓状態にある人を増やしますし、教育を受けられない人を増やします。児童労働や人身売買の温床にもなるでしょう。

SDGs は負の連鎖を断ち切ることで、貧困の解消→空腹から解放→学ぶ意欲、働く意欲が湧く――といったように正の連鎖に変えることで、**相互に連関する複数の目標の同時解決（＝マルチベネフィット）していくことを目指しています。**

食品ロス
食べられるのに捨てられてしまう食品のこと。日本の食品ロスは年間 612 万トン（平成 29 年度推計値）、日本人 1 人当たり約 48kg/年になる。世界中で飢餓に苦しむ人々に向けた世界の年間食糧援助量（約 390 万トン、2018 年）の 1.6 倍に相当する。

SDGsは課題の同時解決を目指す

8.2 高いレベルの経済生産性
8.4 資源効率を漸進的に改善

12.2 天然資源の持続可能な
管理及び効率的な利用
12.5 廃棄物の発生を大幅に削減

同時達成

13.2 気候変動対策

同時達成

同時達成

ターゲット12.3

小売・消費レベルにおける世界全体の一人当たりの食品の廃棄を半減させ、収穫後損失等の生産・サプライチェーンにおける食品の損失を減少させる

効果

17.14 政策の一貫性を強化
17.16 グローバル・
パートナーシップを強化
17.17 公的、官民、市民の
パートナーシップを奨励・推進

効果

2.1 飢餓の撲滅
2.2 栄養不良の解消
2.4 持続可能な食料生産
システムの確保

効果

効果

9.4 インフラ改良や産業改善
により、持続可能性を向上

4.7 知識及び技能の習得

出所：環境省

SECTION 11

各目標のトレードオフ解消が重要

SDGsの目標を達成するためにほかの目標を犠牲にしてはダメ

SDGsの17の目標は複雑に関連し合っており、複数の目標を同時解決することが求められていますが、ある目標を達成しようとすると、ほかの目標が達成から遠ざかる場合があります。そのときに私たちはどのように考えればいいのでしょうか。

トレードオフのジレンマを乗り越えることが重要

SDGsの各目標は相互に影響し合っており、場合によっては、ある目標の達成を目指していると、別の目標の達成を遠ざけることになるケースが出てくるかもしれません。

たとえば、貧しい人が貧困状態が抜け出すために、森林を伐採して大規模な農場をつくろうとすると、目標①「貧困をなくそう」や目標⑧「働きがいも 経済成長も」に貢献するかもしれませんが、目標⑮「陸の豊かさを守ろう」の達成には逆行するトレードオフの関係になってしまいがいちです。

2018年にフランスで起こった「黄色いベスト運動」は、「地球温暖化対策」と「貧困問題」がトレードオフになったことで起こったといえます。

エマニュエル・マクロン大統領は、地球温暖化対策として燃料税を引き上げることで脱炭素社会の実現を目指しました。しかし、原油価格が上昇していたこともあり、燃料価格の上昇は裕福でない人々にとって大きな負担になります。こうした背景があって、貧困層を中心に燃料税引き上げに反対する人々が大規模な抗議活動を行ったのです。

問題を解決しようとすれば、別の問題を悪化させることは珍しくありません。しかし、**SDGsでは、ある目標を達成するために、ほかの目標を犠牲にすることを容認していません。たとえ、両立が難しくても以下の3つの観点を持ち、知恵を絞っていずれの目標も犠牲にすることなく達成を目指すことを求めています。**

トレードオフ
一方を追求すると、もう一方を犠牲にしなければならないような二律背反の状態のこと。働く時間を増やせば、収入を増やすことはできるが、自由な時間は減ってしまう。このとき、収入と自由な時間はトレードオフの関係にあるといえる。

エマニュエル・マクロン
1977年生まれの第25代フランス大統領。2017年5月にフランス史上で最も若い39歳で大統領に就任した。

フランスで起きた「黄色いベスト運動」

2019年1月に実施予定だった燃料税の引き上げに反対する人々が、2018年11月から毎週土曜に、パリやマルセイユなどフランスの主要都市で抗議運動を行った。抗議に参加する人々が労働者のシンボルとして黄色いベストを着用したことから「黄色いベスト運動（ジレ・ジョーヌ）」と呼ばれるようになった。一部は過激化し、多くの市民や警察官が負傷、市民10人が死亡した。

- **世界や社会ニーズに合わせた目標設定をすること**
- **外部の視点から必要な目標設定をすること**
- **実施する取り組み全体に「持続可能性」を組み込むこと**

イノベーションがトレードオフ解消のカギになる

もし政府や企業がある目標だけに着目して、ある目標に目をつぶるような恣意的な取り組みを行えば、P.58で詳しく紹介するSDGsウォッシュになる可能性が高まります。もしそれが明るみに出れば、政府は国民、企業は消費者や取引先からの評判を大きく落とすことにつながり、政権運営や企業業績に甚大な悪影響を及ぼす恐れがあります。

トレードオフを避けてマルチベネフィットの実現を目指すのは、簡単なことではありません。だからこそ、これまでの固定観念を打破するために知恵を絞ってイノベーションを起こし、新しい解決方法を生み出す必要があるのです。

イノベーション
新しいアイデアから社会的意義のある新たな価値を創造し、社会的に大きな変化をもたらすような「技術革新」のこと。

SECTION 12

すべての目標に貢献するのは難しい

貢献できそうな目標から取り組めばいい

企業レベルでも、個人レベルでもSDGsの17の目標すべてに取り組む必要があるのかと考える人もいるでしょう。しかし、多岐にわたる目標が設定されているので、最初からすべての目標に取り組むのは現実的ではありません。

すべての目標に取り組む必要はない

SDGsには17の目標があります。そのすべてに取り組むのが理想的ですが、簡単に取り組めないような大きな目標もありますから、**まずは「できること」「できそうなこと」から取り組むことから始めることが重要です。**

そもそも17の目標のすべてに取り組もうとしても、それが難しいことに気づくはずです。それを実行するのは現実的ではありません。まずは貢献できる目標について取り組み、持続可能な発展につながるようにすればいいのです。

日本を代表する金融グループ「みずほフィナンシャルグループ」ですら、統合報告書に掲載されたSDGsへの取り組みを見ればわかるように、すべての目標に取り組めるわけではありません。

統合報告書
財務情報と非財務情報から構成される報告書のこと。株主や投資家、取引先などのステークホルダーに対して、企業の経営実態や持続的な成長への取り組みなどを紹介する。

個人レベルでも「できること」から手をつける

個人レベルでできることもあります。たとえば、節水を心がければ、目標⑥「安全な水とトイレを世界中に」、買い物のときにエコバッグを使えば、海に流れ込むプラスチックの削減につながり、目標⑭「海の豊かさを守ろう」に貢献できます。

また、SDGsを理解していない人に対して、SDGsについて教えることは、いずれの目標に当てはまらないかもしれませんが、SDGsの普及に貢献していると考えられるので意味があることです。SDGsは自分でできることを考えながら行動することが求められています。

➡ みずほFGが取り組むサステナビリティ重点項目とSDGsとの関係

区分	重点項目	SDGs	取り組み
ビジネス	少子高齢化と健康・長寿	 	● 将来に備えた資産形成 ● 少子高齢社会に対応したサービス拡充 ● ライフスタイルの多様化に応じた高い利便性
ビジネス	産業発展とイノベーション	 	● 円滑な事業承継 ● 産業構造の転換 ● イノベーションの加速 ● アジアの経済圏の活性化 ● レジリエントな社会インフラ整備
ビジネス	健全な経済成長		● 金融資本市場の機能強化 ● キャッシュレス化 ● 環境変化を踏まえた社会制度
ビジネス	環境配慮	 	● 気候変動への対応促進と脱炭素社会への移行支援
経営基盤	ガバナンス	 	● コーポレート・ガバナンスの高度化 ● リスク管理・IT基盤強化・コンプライアンス ● 公平かつ適時・適切な開示とステークホルダーとの対話
経営基盤	人材	 	● 人 材育成と働きがいのある職場づくり
経営基盤	環境・社会	    	● 投融資等における環境配慮・人権尊重 ● 気候変動への対応 ● 金融経済教育／地域・社会貢献活動の推進

多様なステークホルダーとのオープンな連携・協働

関係しないSDGsの目標      

出所：みずほフィナンシャルグループ「統合報告書2020」

SECTION 13

SDGsの目標を達成するための考え方①

「バックキャスティング」で思考して、目標達成に近づく

これまでにも人類は、地球温暖化や人種差別など、世界で起こるさまざまな問題を解決しようと努力してきましたが、SDGsが目指す「誰一人取り残さない」の実現にはほど遠い状態です。これまでとは違ったアプローチで考えないと解決に近づけないかもしれません。

フォアキャスティングとバックキャスティングの違い

現在の延長線上に想定される未来を「将来の目標」として据える考え方を「フォアキャスティング」といいます。現状を改善しながら積み上げていき、目標達成に向かっていく演繹法的なアプローチといってもいいかもしれません。

一方、**SDGsでは「バックキャスティング」と呼ばれる未来のあるべき姿（＝SDGsを達成した世界）から遡り、今やるべきことを逆算で考えて行動するアプローチ**を強く求めています。

演繹法
一般的かつ普遍的な事実を前提として、そこから結論を導きだす方法のこと。「人は必ず死ぬ」という一般論と、「ソクラテスは人である」という事実から「ソクラテスは必ず死ぬ」と導き出す三段論法は、演繹法の代表的手法。反対概念は帰納法。

こうした背景には、「今からみんなで努力していけば、きっと目標を達成できるはず（＝現在の姿の延長線上に目標達成がある）」というフォアキャスティング的発想では、2030年までにSDGsの達成できない公算が大きくなっていることがあります。

たとえば、大学の受験のときに「自分は社会で○○に是非とも取り組みたいので、○○大学で○○を学びたい」というはっきりした目標があれば、目標とする大学の傾向と対策を行うなど、「今やるべきこと」をより具体的な行動に落とし込みやすくなり、「もっとこうしたほうがいいのではないか」とこれまでにない知恵を働かせたり、工夫しようとするでしょう。

当然のことながら、「できるだけ偏差値の高い大学へ行ければいいや」という人と、「○○をしたい」という明確な目標がある人では、大学入学後の行動は大きく異なってきます。明確な目標を持つ人は、設定した目標に近づくために高いモチベーションをもちながら能動的に勉強に取り組むので「目標達成」という大き

バックキャスティングとフォアキャスティング

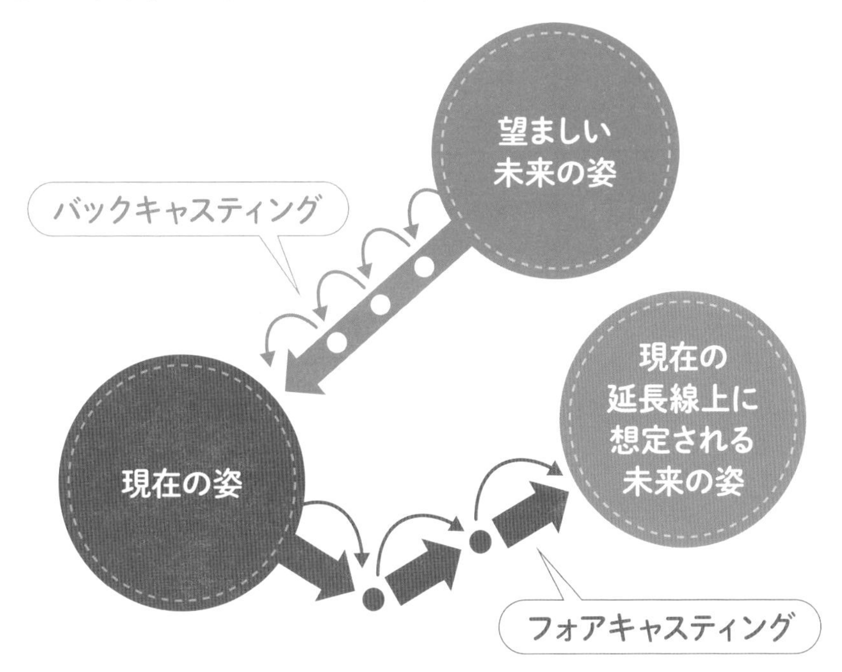

な成果を得る可能性が高まるのです。

バックキャスティングで破壊的創造を目指す

私たちの地球を守るためにも、SDGsは絶対に達成しなければいけません。難しい問題・課題を突きつけるSDGsですが、具体的な目標が決まっているおかげで、バックキャスティングで考えやすいといえます。世界中の人々がSDGsを自分ごととして捉え、自身の明確な目標として取り込み、目標達成を大前提にして、バックキャスティングでこれから何をするべきかを考えるのです。

それを実現するには、従来のやり方にとらわれていると、達成が難しいことに気づくでしょう。だからこそ、**今できることからではなく、未来の望ましい姿を起点にして何をすべきかを考えたり、前例にとらわれない破壊的創造によって解決策を見出すことが求められています。**

破壊的創造
オーストリア出身で、のちにアメリカに帰化した経済学者ヨーゼフ・シュンペーターが提唱した概念。既存の秩序を破壊し、世界を劇的に変化させるイノベーションのことを指す。iPhoneをはじめとするスマートフォンは、破壊的創造の代表例といえる。

SECTION 14

SDGsの目標を達成するための考え方②

「アウトサイド・イン」で問題の解決方法を考える

世界の人々は国籍や肌の色だけでなく、社会的・経済的ステータスが異なり、考え方も多種多様です。それでもSDGsは全人類共通の目標として取り組まなければいけません。そのときに必要になってくるのが「アウトサイド・イン」という考え方です。

インサイド・アウトとアウトサイド・インの違い

相手に「そんな話は聞いていない」と言われたら、あなたはどう考えるでしょうか。Aさんは「伝えたのに聞いていない相手が悪い」と考えました。Bさんは「自分の伝え方が悪かった。次はちゃんと伝わるように言い方を変えよう」と考えました。

Aさんのように、**自分を中心にして考えるアプローチを「インサイド・アウト」**といい、Bさんのように**「何が必要かを自分の外側から考えて、目的を達成しようとするアプローチを「アウトサイド・イン」**といいます。

SDGsでは「アウトサイド・イン」が必要になる

SDGsが解決を目指す問題は、宗教や人種などバックグラウンドの異なる世界中の人々が同じ目標の達成に向けて行動しています。そのとき自分目線（インサイド・アウト）だけで話をすれば、対立を深めてしまうでしょう。場合によっては、自分と相手の立場を入れ替えて考えたり、想像力を働かせながら相手の立場や状況を勘案しながら物事を考える必要があるはずです。

国連グローバル・コンパクト（UNGC）などが企業の行動指針を示した「SDG Compass」では、社会・環境問題を考えるときに、**自社の事業が社会や環境にどう影響を及ぼすかを考える（インサイド・アウト）だけでなく、社会・環境問題を解決するために自分たちは何をすべきかを考えて行動する（アウトサイド・イン）ことを求めています。**

国連グローバル・コンパクト（UNGC）
1999年の世界経済フォーラム（ダボス会議）の席上でアナン国連事務総長（当時）が提唱した、企業・団体が責任ある創造的なリーダーシップを発揮することによって、社会の良き一員として行動し、持続可能な成長を実現するための世界的な枠組みづくりに参加する自発的な取り組みのこと。

SDG Compass
2016年3月にGRI（Global Reporting Initiative）、国連グローバル・コンパクト（UNGC）、持続可能な開発のための世界経済人会議（WBCSD）の3団体が共同で作成した企業向けのSDGsの導入指南書のこと。

➡ アウトサイド・インとインサイド・アウト

インサイド・アウト

問題・課題の解決を考える際に、「自身を改善せずに自身の外部にある問題・課題を解決できない」と自身を起点に考える。現在の延長線上で未来を考えるアプローチといえる。

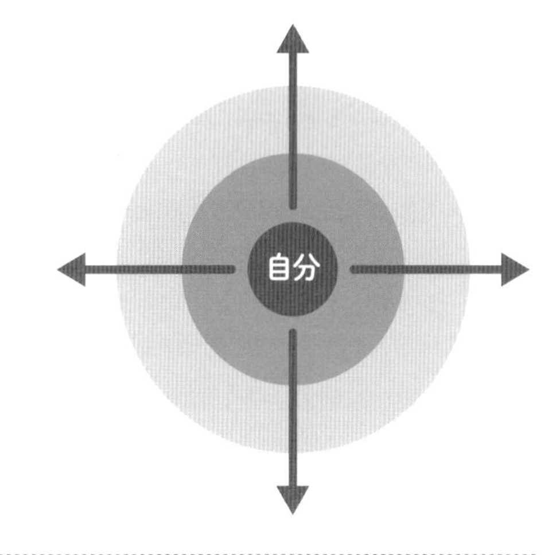

アウトサイド・イン

自身の「外部にある問題・課題」を起点に解決方法を考えるアプローチ。問題・課題に対して、どうすれば解決できるかを考えながら、現状と解決までのギャップを埋めていく。問題・課題が解決された未来から発想して現在を見るアプローチといえる。

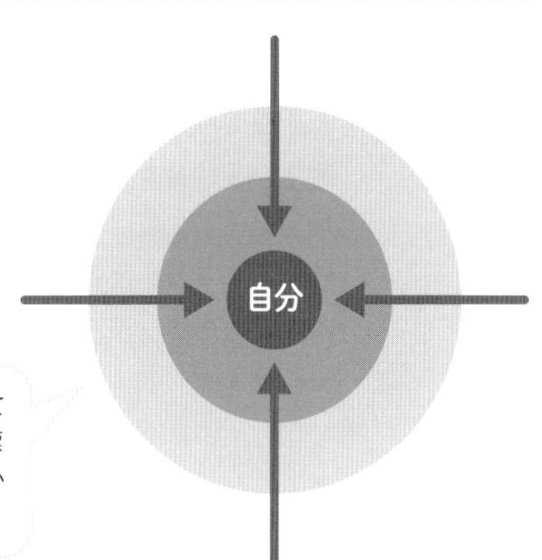

SDGsは、国際的に望ましい到達点に関しての前例のない政治的合意であるため、目標起点のアウトサイド・インでアプローチしないと、現実と目標のギャップは埋められない!

商品のセールスなど、自社の強みを生かすためにはインサイド・アウト的なアプローチも必要ですが、多くの人はインサイド・アウトのみで考えがちです。意識しないとアウトサイド・インで発想できないことが多いのです。

どちらが正しくて、どちらが間違っているということではありません。そのときどきで使い分けることです。ただ、SDGs について考えるときは、アウトサイド・インの視点をもたなければ、見えてこないことがあるということです。

SECTION 15

SDGsに取り組まない企業や人に対する視線は厳しくなる

SDGsに取り組まなくてもペナルティはないが……

SDGsに反する行為をしたら「罰則があるのか」は、気になるところではないでしょうか。しかし、罰則がないからといって、環境破壊や人権侵害をしていいわけがありません。SDGsに反した行為をすると、どのようなことが起こるのかを考えてみましょう。

SDGsに反すれば、社会が許してくれない

SDGsは2030年までに世界が一丸となって達成を目指す目標ですが、SDGsに反する行為をしたときに課されるペナルティはあるのでしょうか。

SDGsに法的拘束力はなく、取り組むことは義務ではありません。違法行為を行えば、SDGsに関係なくその国の法律によって裁かれるのは当然ですが、**SDGsに取り組まないからといってペナルティを課されることはありません。**だからといって「SDGsに取り組まなくても問題ない」と考えるのは間違いです。

もし、あなたが勤めている会社が途上国の工場で小学校にいくべき年齢の子どもを低賃金で働かせて莫大な利益を上げていたり、レッドリストに掲載された絶滅危惧種が生息する森を伐採して工場をつくり、莫大な利益を上げていることが明るみになれば、評判を大きく落とすでしょう。昨今は環境や人権に対する社会の監視の目は強くなっていますから、SDGsに反する事業活動が明るみに出れば、消費者をはじめとするステークホルダーから得ていた信頼を一瞬で失うでしょう。また、第5章で詳しく説明しますが、SDGsの達成に逆らう事業活動を行う企業は、投資家の投資対象にならなくなっています。

SDGsにペナルティはありませんが、相応の代償を課せられる社会になってきています。持続可能な社会を目指すSDGsに反する行為は、自社や自身の持続可能性に反することにつながるのです。

レッドリスト
正式名称は「絶滅のおそれのある種のレッドリスト」で、スイスに本部を置く国際自然保護連合（IUCN）が発表する絶滅のおそれがある野生生物のリストのこと。世界自然保護基金（WWF）によると、IUCNは存在が知られている約214万種の生物のうち、12万372種について評価。そのうちの3万2,441種を絶滅の危機に瀕しているとしている（2020年7月現在）。

➔ SDGsに反した行動をすれば、大きな代償を払うことになる

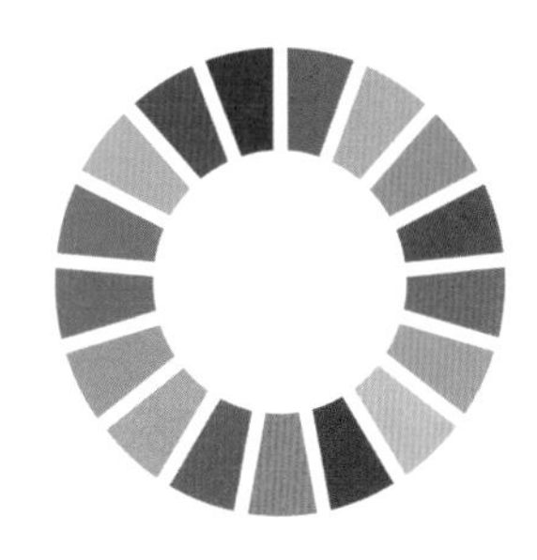

SDGs

● 法的拘束力なし ● ペナルティなし

法的拘束力やペナルティはないが、
ステークホルダーとの関係が悪化するリスク大

» Column

日本の動植物のうち、3,716種が絶滅危惧種

日本では3,716種が絶滅危惧種
すでに110種は絶滅してしまった！

「レッドリスト（正式名称：絶滅のおそれのある種のレッドリスト）」とは、国際自然保護連合（IUCN）が公表している絶滅のおそれのある野生生物の種のリストで、日本では、環境省のほか、地方公共団体やNGOなどが、個々の種の絶滅の危険度を評価し、レッドリストとしてまとめています。

IUCNによると、世界には約3万2,000種の生物が絶滅の危機に瀕しているとされています。

環境省が日本の絶滅危惧種について公表した「レッドリスト2020」では、「レッドリスト2019」と比較して絶滅危惧種が40種増加し、合計3,716種（動物1,446種、植物2,270種）になりました。

レッドリストでは、絶滅の危険度によって、生物を9つのカテゴリーに分類していますが、ニホンオオカミ、ニホンカワウソなど110種は、すでに絶滅したと考えられる「絶滅（EX）」に分類されています。

環境省版レッドリストのカテゴリーの概要

分類	定義	該当する主な生物
絶滅（EX）	日本ではすでに絶滅したと考えられる種	ニホンオオカミ、ニホンカワウソ
野生絶滅（EW）	飼育・栽培下、あるいは自然分布域の明らかに外側で野生化した状態でのみ存続している種	クニマス、リュウキュウベンケイ
絶滅危惧I類（CR+EN）	絶滅の危機に瀕している種	―
絶滅危惧IA類（CR）	ごく近い将来における野生での絶滅の危険性が極めて高いもの	イリオモテヤマネコ、ラッコ、トキ
絶滅危惧IB類（EN）	IA類ほどではないが、近い将来における野生での絶滅の危険性が高いもの	トクノシマトゲネズミ、ライチョウ、イヌワシ
絶滅危惧II類（VU）	絶滅の危険が増大している種	トウキョウトガリネズミ、ウズラ、アホウドリ
準絶滅危惧（NT）	現時点での絶滅危険度は小さいが、生息条件の変化によっては「絶滅危惧」に移行する可能性のある種	エゾナキウサギ、クロウミツバメ
情報不足（DD）	評価するだけの情報が不足している種	エゾシマリス、ニホンスッポン
絶滅のおそれのある地域個体群（LP）	地域的に孤立している個体群で、絶滅のおそれが高いもの	房総半島のホンドザル、九州地方のカモシカ

出所：環境省「環境省レッドリスト2020」

Chap

2

SDGsの考え方をより深く理解する

17の目標を掲げるSDGsですが、

さまざまな方向から見ることで、

なぜ私たちが取り組まなければいけないのかを

実感をともなって理解できるようになります。

「SDGs」という言葉を知識としてだけ知るのではなく、

深く理解することで行動に結び付けたいものです。

SECTION 01

国連加盟国が2015年までに達成を目指した目標

SDGsのもとになったMDGs（ミレニアム開発目標）

SDGs以前に国連が2015年までに達成を目指した国際目標として、「MDGs（Millennium Development Goals：ミレニアム開発目標）がありました。MDGsは一定の成果を上げていたものの、すべての目標は達成できず、SDGsに引き継がれています。

貧困層の半減など、一定の成果を上げたが……

SDGsのもとになったのが、2000年9月の国連ミレニアム・サミットで採択された国連ミレニアム宣言をもとにまとめられた**MDGs（Millennium Development Goals：ミレニアム開発目標）**です。

21世紀の国際社会の目標として、国連に加盟する全193カ国と23の国際機関が合意したMDGsは、「2015年まで」という期限を定めて、8つの目標を掲げました。

以来、2005年の国連首脳会合、2010年のMDGs国連首脳会合などの場で、首脳レベルで達成に向けた取り組みの強化することを確認し合いながら、世界が達成に向けて取り組んだ結果、目標①「極度の貧困と飢餓の撲滅」では、「2015年までに1日1ドル未満で生活する人々の割合を半減させる」を5年も早い2010年に達成したほか、小学校に通う子どもの数は史上最高に達し、それまで男児に比べて低かった女児の就学率もほぼ同じになりました。また、幼児死亡率は劇的に低下し、安全な飲み水へのアクセスは大幅に拡大しました。

このようにMDGsは一定の成果を上げましたが、2000年からの15年間で全目標を達成することはできませんでした。

とくに、世界でも最も発展が遅れている**サハラ以南のアフリカ（サブサハラ・アフリカ）では、目標④「児童死亡率の引き下げ」が未達に終わるなど、進捗の遅れが大きな課題とされました。その課題はSDGsに引き継がれています。**

国連ミレニアム・サミット
2000年9月6日〜8日にかけてニューヨークの国連本部で、開催された加盟国首脳会議。21世紀における国連の役割について話し合われ、MDGsが採択された。日本からは当時の森喜朗首相などが出席した。

サハラ以南のアフリカ
サブサハラ・アフリカとも呼ばれ、「アフリカのうち、サハラ砂漠より南の地域」を指す。国連の定義では、北アフリカのアルジェリア、エジプト、チュニジア、モロッコ（西サハラ）、リビアを除いたアフリカの国々を指す。貧困や紛争、HIV／エイズやマラリアの蔓延など、多くの問題を抱えており、世界で最も発展が遅れたエリアになっている。

MDGsの8つの目標

目標① 極度の貧困と飢餓の撲滅

主なターゲット　1990年から2015年までに、1日1ドル未満で生活する人々の割合を半減させる。

目標② 初等教育の完全普及の達成

主なターゲット　2015年までに、すべての子どもたちが、男女の区別なく、初等教育の全課程を修了できるようにする。

目標③ ジェンダー平等の推進と女性の地位向上

主なターゲット　できれば2005年までに初等・中等教育において、2015年までにすべての教育レベルで、男女格差を解消する。

目標④ 児童死亡率の引き下げ

主なターゲット　1990年から2015年までの期間に、5歳未満児の死亡率を3分の1に削減する。

目標⑤ 妊産婦の健康の改善

主なターゲット　1990年から2015年までに、妊産婦の死亡率を4分の3引き下げる。

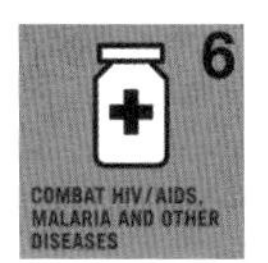

目標⑥ HIV/エイズ、マラリア、その他の疫病の蔓延防止

主なターゲット　2015年までに、HIV/エイズの蔓延を阻止し、その後、減少させる。

目標⑦ 環境の持続可能性の確保

主なターゲット　持続可能な開発の原則を各国の政策やプログラムに反映させ、環境資源の喪失を阻止し、回復を図る。

目標⑧ 開発のためのグローバルなパートナーシップの構築

主なターゲット　開放的で、ルールに基づいた、予測可能でかつ差別のない貿易および金融システムのさらなる構築を推進する。

SECTION 02

MDGsからSDGsになって変わったものとは？

SDGsとMDGsの違い

2000年に採択されたMDGsをもとに、アップデートされたのが2015年に採択されたSDGsです。目標が8から17に増えただけでなく、考え方や目標設定のプロセスにも違いがあります。ここでは両者の違いについて触れていきます。

MDGsからSDGsへの重要な変化とは？

MDGsの8つの目標は、主に途上国に対して設定された目標でした。その目標が先進国主導で決められたこともあり、途上国の意向が反映されていないという問題点も指摘されていました。

その反省を踏まえつつ、SDGsではMDGsで達成できなかった目標の達成に取り組むとともに、気候変動への対策、雇用や労働のあり方、都市のあり方、格差是正、平和、イノベーションなどの新たな項目を追加してアップデートされています。

そして、途上国だけでなく、先進国を含めたすべての国々を対象に、豊かさを追求しながら地球環境、人権を守ることに重きが置かれることになりました。MDGsからSDGsへの重要な変化は、MDGsが南北問題に焦点を当て、途上国の助けようとするメッセージが強かったのに対し、**SDGsは先進国も含めたすべての国々で地球規模の社会課題を解決することに重きが置かれたことです。**その結果、**SDGsはMDGsを発展させるかたちで、目標は8から17に増えて、より包括的な目標設定になりました。**

南北問題
先進国と途上国の経済格差とその是正をめぐる問題のこと。アメリカ、日本、ドイツ、イギリスなどの先進国が北半球に集中しているのに対し、途上国がアフリカなどの南半球に偏っていることからこのように呼ばれる。

SDGsは民間部門に対する期待が大きくなった

主に途上国に対して設定された目標だったMDGsは、政府開発援助（ODA）などを中心にした公的部門が主導してきました。MDGsでも民間企業の貢献は期待されていましたが、残念ながら、多くの民間企業はMDGsに対して関心を持つまでにいたりませんでした。

政府開発援助（ODA）
政府や政府関係機関が途上国の発展のために資金や技術を提供すること。資金の贈与や、資金の貸し出しのほか、青年海外協力隊の人材派遣による援助なども含まれる。

MDGsとSDGsの主な違い

MDGs Millennium Development Goals

ミレニアム開発目標
2001年～2015年

- 8ゴール・21ターゲット（シンプルで明快）
- 途上国の目標
- 国連の専門家主導で策定

SDGs Sustainable Development Goals

持続可能な開発目標
2016年～2030年

- 17ゴール・169ターゲット（包括的で、互いに関連）
- すべての国の目標（ユニバーサリティ）
- 国連全加盟国で交渉
- 実施手段も重視（資金・技術など）

そしてMDGsが未達成に終わったことで、民間企業の深い関与なくして目標達成は難しいことが浮き彫りになりました。

そこでSDGsでは、目標⑧「働きがいも 経済成長も」や目標⑨「産業と技術革新の基盤をつくろう」など、民間企業が主なプレイヤーにならなければ達成できない目標が設定されました。

SDGsでは、環境や人権を守りながら「経済成長の実現」を求められています。経済成長の牽引役を担うのは民間企業です。イノベーションなくして経済成長はあり得ません、世界が抱えるさまざまな問題を解決するにもイノベーションが不可欠です。これまで**イノベーションを起こしてきたのは民間企業です。その力に大きな期待が寄せられている**のです。

第4章で詳しく触れますが、近年、民間企業がSDGsに取り組むことのビジネス上のメリット、取り組まないことのデメリットが理解されてきました。それにより、大企業を中心にSDGs対する関心を示したり、実際に取り組む企業が増えています。

SECTION 03

SDGsの達成を支援する国連の世界的な枠組み

国連グローバル・コンパクトの4分野10原則

SDGsの前身MDGsが設定される前から、持続可能な成長を推進するための枠組みである国連グローバル・コンパクト（UNGC）が発足していました。現在もSDGsの達成を推進するための活動を行うUNGCについて説明していきます。

アナン元事務総長が提唱した世界的な枠組み

1999年の世界経済フォーラム（ダボス会議）の席上でコフィー・アナン国連事務総長（当時）は、「民間企業のもつ創造力を結集し、弱い立場にある人々の願いや未来世代の必要に応えていこうではありませんか」と訴えました。

それをきっかけに、2000年7月に発足した**持続可能な成長を実現するための世界的な枠組みが「国連グローバル・コンパクト（UNGC）」**です。

UNGCには、世界160カ国で1万社を超える企業、3,000以上の非営利団体が署名しており（2020年2月現在）、国連機関と民間企業の連携を図る場となっています。

国内では、キッコーマン、伊藤忠商事、リコー、公益財団法人日本サッカー協会、川崎市、同志社大学など366企業・団体（2020年7月28日時点）が署名しています。

署名企業・団体の自発的な行動を求めるもので、法的拘束力がないのはSDGsと同じです。署名した企業・団体は**「人権」「労働」「環境」「腐敗防止」の4分野10原則を守り、活動を展開していくことが期待されています。**UNGCはビジネス活動を国連の設定するSDGsの達成を積極的に推進するための取り組みといえます。2020年1月には、2030年の達成に向けて取り組みを加速させるための活動として、SDGsを企業の中核事業に統合することをグローバル規模で呼びかけ、支援することを目指した「SDGアンビション」を開始しています。

コフィー・アナン
ガーナ出身。1997年～2006年までの任期を務めた第7代国連事務総長。国連職員から初めて事務総長に選出された。事務総長在任中の2001年には、国際連合とともにノーベル平和賞を受賞した。

SDGアンビション
国連グローバル・コンパクトとSAP、アクセンチュアが共同で設立した、企業がSDGsを中核事業に組み込み、共通の成功を実現するための挑戦を推進し、支援するイニシアチブのこと。

国連グローバル・コンパクトが掲げる4分野10原則

人権

- 原則1：企業は、国際的に宣言されている人権の保護を支持、尊重すべきである
- 原則2：企業は、自らが人権侵害に加担しないよう確保すべきである

労働

- 原則3：企業は、結社の自由と団体交渉の実効的な承認を支持すべきである
- 原則4：企業は、あらゆる形態の強制労働の撤廃を支持すべきである
- 原則5：企業は、児童労働の実効的な廃止を支持すべきである
- 原則6：企業は、雇用と職業における差別の撤廃を支持すべきである

環境

- 原則7：企業は、環境上の課題に対する予防原則的アプローチを支持すべきである
- 原則8：企業は、環境に関するより大きな責任を率先して引き受けるべきである
- 原則9：企業は、環境に優しい技術の開発と普及を奨励すべきである

腐敗防止

- 原則10：企業は、強要と贈収賄を含むあらゆる形態の腐敗の防止に取り組むべきである

出所：国連グローバル・コンパクト

stocklight / Shutterstock.com

SECTION 04

SDGsを理解するための切り口

SDGsを「5つのP」で考える

SDGsには17の目標ありますが、すべてを覚えるのは大変です。SDGsが何を目指しているのかを知るために役立つのが「5つのP」です。「5つのP」を覚えておけば、SDGsが何を目指しているかをよりシンプルに理解できます。

17の目標は「5つのP」で考えるとわかりやすい

SDGsの17の目標を「5つのP」で考えると、SDGsが目指すものをおおまかに理解できます。

① People（人間）……すべての人の人権が尊重され、尊厳をもち、平等に、潜在能力を発揮できるようにする。貧困と飢餓を終わらせ、ジェンダー平等を達成し、すべての人に教育、水と衛生、健康的な生活を保障する。

② Prosperity（豊かさ）……すべての人が豊かで充実した生活を送れるようにし、自然と調和する経済、社会、技術の進展を確保する。

③ Planet（地球）……持続可能な消費と生産、天然資源の持続可能な管理、気候変動への緊急対応などを通じ、地球の劣化を防ぐことにより、現在と将来の世代のニーズを支えられるようにする。

④ Peace（平和）……平和、公正で、恐怖と暴力のない、すべての人が受け入れられ、参加できる包摂的な世界を目指す。

⑤ Partnership（パートナーシップ）……グローバルな連帯強化の精神に基づき、政府、民間セクター、市民社会、国連機関を含む多様な関係者が参加する、グローバルなパートナーシップにより実現を目指す。

この「5つのP」からわかるように、SDGsは「人々」が「協力（パートナーシップ）」しながら、「豊か」で「平和」に「地球」で暮らすという誰もが望む当たり前のことを目指しているのです。

17の目標と「5つのP」」の関係性

① People（人間）貧しさを解決し、健康に

② Prosperity（豊かさ）経済的に豊かで、安心して暮らせる世界に

③ Planet（地球）自然と共存して、地球の環境を守る

④ Peace（平和）争いのない平和を知ることから実現

⑤ Partnership（パートナーシップ）みんなが協力し合う

出所：国連広報センター「SDGsを広めたい・教えたい方のための「虎の巻」」より作成

SECTION 05

環境の重要性が一目でわかる

環境保護の重要性を示した「SDGsウェディングケーキモデル」

SDGsの大きな柱のひとつに「環境保護」があります。その重要性をわかりやすく示したのが、スウェーデン人の環境学者ヨハン・ロックストローム氏とインド人の環境経済学者パヴァン・スクデフ氏によってつくられた「SDGsウェディングケーキモデル」です。

「環境」の土台があってこそ、「社会」と「経済」がある

SDGsの基礎となった概念「プラネタリー・バウンダリー（地球の限界）」を提唱したことでも知られるスウェーデン人の環境学者ヨハン・ロックストローム氏とインド人の環境経済学者パヴァン・スクデフ氏によってつくられた「SDGsウェディングケーキモデル」は、環境の重要性を端的に示したモデルとして知られています。

このモデルは、環境（生物圏、Biosphere）、社会（Society）、経済（Economy）の3階層からなり、**「環境」の上に、「社会」と「経済」を置くことで、自然からの恵みによって私たちの社会や経済が支えられていることを示しています。**それをSDGsの目標と関連づけ、視覚的に環境保護の重要性を表しているのです。

私たちは地球環境とそれを支える生物多様性が生み出す生態系サービス（＝生物多様性を基盤とする生態系から得られる恵み）から、食料や水の供給、気候の安定などの恩恵を受けています。しかし、「環境」を自らの手で破壊してきました。1990年～2020年に5～15％の生物種が絶滅するといわれていますが、その原因のほとんどは人間による開発、乱獲、汚染です。

ロックストローム氏は、「今こそ、地球環境が安定して機能する範囲内で将来の世代にわたって成長と発展を続けていくための、新しい経済と社会のパラダイムが求められています」と述べています。土台となる環境が破壊されれば、社会は不安定になり、経済成長どころではなくなるということです。

ヨハン・ロックストローム
地球規模の持続可能性に関する分野で国際的に知られるスウェーデン出身の環境学者。ポツダム気候影響研究所ディレクター。プラネタリー・バウンダリーの枠組みを開発したことで知られる。

パヴァン・スクデフ
インド生まれの環境経済学者。2020年9月現在、WWF（世界自然保護基金）インターナショナル総裁を務める。

SDGsウェディングケーキモデル

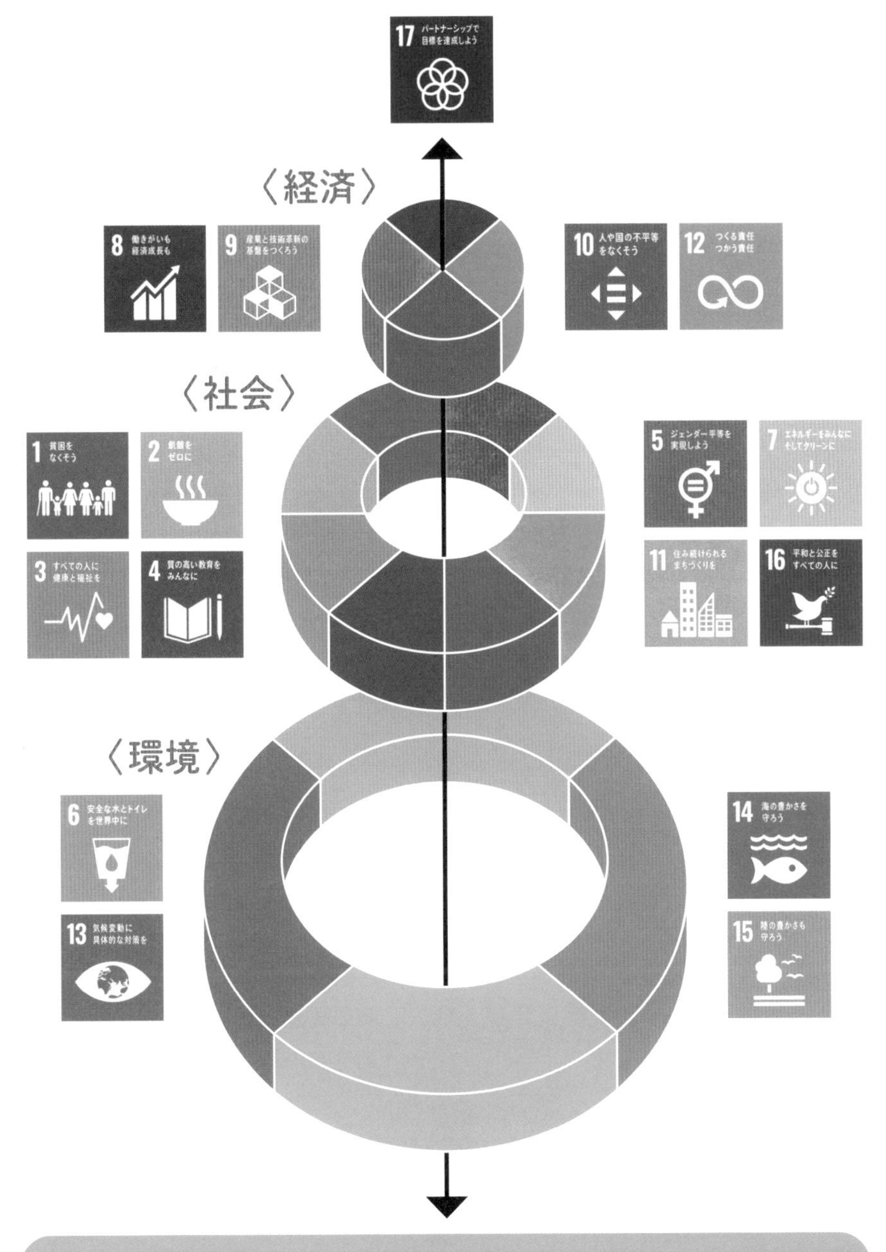

出所:ストックホルム・レジリエンス・センター

SECTION 06

日本政府のSDGsに対する方針を知る

日本政府が示した「8つの優先課題」

日本政府はどのような方針のもと、SDGs に関わる施策を実施しているのでしょうか。ここでは、中長期国家戦略として策定された「SDGs 実施指針」とその中核をなす「8 つの優先課題」について説明していきます。

SDGs実施指針に掲げられた「8つの優先課題」

2015 年に SDGs が採択さると、政府は 2016 年 5 月に総理大臣を本部長、官房長官、外務大臣を副本部長とし全閣僚を構成員とする「持続可能な開発目標（SDGs）推進本部」を設置。SDGs の達成に向けて、2016 年 12 月に中長期国家戦略「SDGs 実施指針」を策定し、「8 つの優先課題」が示されました。

8 つの優先課題は、SDGs の 17 の目標・169 のターゲットののうち、日本として特に力を入れるべきものを示すためのもので、「5 つの P」（P.52）に対応しています。

日本政府は 8 つの優先課題のどれかひとつが欠けてもビジョンは達成されないという認識のもと、「SDGs 実施指針」に基づいて、そのすべてに取り組んでいます。

「SDGs実施方針」と「アクションプラン」

「SDGs 実施指針」は、2016 年に策定されましたが、決定から 3 年が経過した 2019 年 12 月に改定されています。具体的には、それまで「①あらゆる人々の活躍の推進」だったものを「①あらゆる人々が活躍する社会・ジェンダー平等の実現」に、「⑤省・再生可能エネルギー、気候変動対策、循環型社会」だったものを「⑤省・再生可能エネルギー、防災・気候変動対策、循環型社会」に変更しました。

世界経済フォーラムが 2019 年 12 月に公表した、各国における男女格差を測るジェンダー・ギャップ指数が 153 カ国中 121

ジェンダー・ギャップ指数
世界経済フォーラム（WEF）が毎年発表している、経済活動や政治への参画度、教育水準、出生率や健康寿命などから算出される、男女格差を示す指標のこと。

日本政府が示した8つの優先課題

People《人間》	①あらゆる人々が活躍する社会・ジェンダー平等の実現 ②健康・長寿の達成
Prosperity《繁栄》	③成長市場の創出、地域活性化、科学技術イノベーション ④持続可能で強靱な国土と質の高いインフラの整備
Planet《地球》	⑤省・再生可能エネルギー、防災・気候変動対策、循環型社会 ⑥生物多様性、森林、海洋等の環境の保全
Peace《平和》	⑦平和と安全・安心社会の実現
Partnership《パートナーシップ》	⑧SDGs 実施推進の体制と手段

位と先進国のなかで最低レベルであることや、近年、国内で増えている洪水や地震などの天災への対策を踏まえたものといえるでしょう。

8つの優先課題に関して推進される具体的な施策は、毎年改定されている「SDGs アクションプラン」に記載されます。2019年12月に公表された「SDGs アクションプラン 2020」では、「2030年の目標達成に向けた『行動の10年』の始まり」とすべく、以下の3本柱を掲げています。

①ビジネスとイノベーション
～SDGs と連動する「Society 5.0」の推進～
② SDGs を原動力とした地方創生、強靱かつ環境に優しい魅力的なまちづくり
③ SDGs の担い手としての次世代・女性のエンパワーメント

この3本柱を中核に「日本の SDGs モデル」の展開の加速を目指しています。

Society 5.0
日本が目指すべき未来社会の姿として初めて提唱された概念。狩猟社会（Society 1.0)、農耕社会（Society 2.0)、工業社会（Society 3.0)、情報社会（Society 4.0）に続く、サイバー空間（仮想空間）とフィジカル空間（現実空間）を高度に融合させたシステムにより、経済発展と社会的課題の解決を両立する、人間中心の社会（Society）のこと。

SECTION 07

SDGsに取り組む姿勢を考える

絶対にしてはいけない「SDGsウォッシュ」

SDGs が注目を集めるようにつれ、SDGs に取り組んでいることをアピールする場面が増えてきます。そのときに、実態よりも SDGs に取り組んでいるように周囲に伝えてしまうことは避けるべきです。それはなぜなのでしょうか。

環境に配慮したフリをする「グリーンウォッシュ」

企業が環境に配慮していることをパッケージやウェブサイトを使って、消費者にアピールする場面が増えています。

消費者は企業が発する言葉を信用するしかありません。ところが、残念なことに環境に配慮するフリをして消費者から支持を得ようとする企業が少なからず存在します。こうしたごまかし行為を**「グリーンウォッシュ」**といいます。

欧米ではグリーンウォッシュの防止に熱心です。公正な企業間競争の維持や消費者保護の側面からだけでなく、グリーンウォッシュによって環境配慮商品の信頼性が下がってしまうと、持続可能な社会の実現が遠のくことをおそれているからです。

最近ではグリーンウォッシュの SDGs 版ともいえる**「SDGs ウォッシュ」**という言葉を見かけるようになりました。もし日本政府が SDGs ウォッシュをしていたら、国際的な信用は地に堕ちるでしょう。同様に企業が SDGs ウォッシュをしていることが露見すれば、信頼を一気に失うことになるかもしれません。

誠実に SDGs に取り組むことが大切なのは言うまでもありません。少しでも自分や自社をよく見せようとしたり、自らの行いを都合よく解釈して誇張した表現を使えば「SDGs ウォッシュ」になる可能性があるので注意が必要です。

そうならないために、英コンサルティング会社フテラの「グリーンウォッシュ企業と言われないために避けるべき 10 の原則」は参考になります。

グリーンウォッシュ
見せかけだけで環境配慮をしているようにごまかすこと。環境に配慮したこと意味する「グリーン」と、「ごまかす」という意味の「ホワイトウォッシング」を合わせた造語。

SDGsウォッシュ
グリーンウォッシュと同様に、SGDs に取り組んでいるように見せかけてごまかすこと。

グリーンウォッシュ企業と言われないために避けるべき10の原則

原則①	**ふわっとした言葉の使用** はっきりした意味を持たない言葉や用語　例）エコ・フレンドリー
原則②	**環境を汚染している企業なのにグリーン商品を売る** 例）河川汚染をもたらす工場で生産される持続性の高い電球
原則③	**暗示的な図の使用** まったく根拠がないのにもかかわらず、 環境に好影響を与えることを暗示するようなイメージ図を使う 例）煙突から煙の代わりに花が排出される
原則④	**不適切で、的外れの主張** そのほかの企業活動が反環境保護的にもかかわらず、 一部で行っているわずかな環境活動を強調する
原則⑤	**より悪いものとの比較で相対的によく見せる** 同業他者が環境活動に対して極めて意識が低いときなどに、 わずかながらの環境活動を行っているだけにもかかわらず、 自社が他社よりも環境に配慮していると公表する
原則⑥	**まったく説得力がない表現** 危険な商品をグリーン化したところで、安全にはならない 例）エコ・フレンドリーなタバコ
原則⑦	**まわりくどく、わかりにくい言葉** 科学者でなければ、確認や理解ができないような言葉や情報を使う
原則⑧	**架空の人の主張を使った捏造** 独自につくった「ラベル」であるにもかかわらず、 第三者からの承認を得たかのようにして偽る
原則⑨	**証拠がない**
原則⑩	**まったくのウソ**

出所：英フテラ社「The Greenwash Guide」より作成

SECTION 08

ウソをついてしまうと、その代償は大きい

アパレル業界に見るサステナビリティへの対応の明暗

アパレル業界を席巻してきたファストファッションには、急成長したブランドがいくつも現れました。しかし、サステナビリティやエシカルに対する考え方や行動の違いによって、企業自体のサステナビリティに大きな差が出始めています。

ファストファッションからエシカルファションへ

スウェーデンのアパレルメーカー H&M は、日本でもファストファッションの代表格として人気です。ところが、同社の本拠地スウェーデンの隣国ノルウェーの消費者庁から H&M の広告が「違法行為」だと指摘されました。「サステナブル」を売り文句にした「Consious（コンシャス）」シリーズが、サステナブルで環境に優しいのか明確な根拠が示されなかったからです。

H&M が販売するいわゆるファストファッションは、最新の流行を採り入れた低価格な服を、大量生産して販売するビジネスモデルで成長してきました。しかし、ファッション産業は地球温暖化の原因になる二酸化炭素の全排出量のおよそ 10% を占めているという指摘もあります。服を製造、輸送、販売、回収、廃棄する過程で、大量のエネルギーが消費され、二酸化炭素を排出することになるからです。

たしかに、安い価格で頻繁に新しい商品を出すファストファッションは、2010 年代にアパレル業界の成長を牽引しました。一方で低価格の服をなかば使い捨て感覚で消費させることで、まだファストファッションという概念がなかった頃に比べると世界で消費される服を爆発的に増やしたのです。

ファストファッションの代表格として日本でも人気だった「Forever21」は経営が悪化し、本拠地のアメリカでは連邦破産法第 11 条（チャプター11）を申請、日本でも全店が撤退しました。

その背景には**ファストファッションの主な顧客層ともいえる**

連邦破産法第11条（チャプター11）
アメリカの再建型の企業倒産処理を規定した法律で、日本の民事再生法に相当する。日本では Chapter11 と表記されることもある。

ノルウェー消費者庁から違法行為を指摘されたH&M

2019年4月、H&Mはリサイクル・ポリエステルをはじめとするサステナブルな素材を使用することをコンセプトにした「H&M Conscious Collection（コンシャス・コレクション）」を発売した。しかし、リサイクル素材の使用量など環境上の配慮に関する十分な説明がなかったことから、ノルウェーの消費者庁に「購入者を誤解させる可能性のある宣伝文を使用している」と指摘され、ノルウェーのマーケティング法に違反すると批判された。

Z世代、ミレニアル世代のサステナビリティへの意識の高まりがありました。使い捨て感覚の服を求めなくなったのです。

一方、H&Mと並ぶファストファッションブランド「ZARA」を運営するスペインのインディテックス社は、2019年7月に行われた株主総会で「反ファストファッション宣言」をして、新たなサステナビリティ目標を掲げたことで話題を呼びました。

同社は2001年に国連グローバル・コンパクト（UNGC、P.40）に署名して以来、人と地球にやさしいエシカルファッションへの移行を積極的に進めてきました。同社は、世界経済フォーラム（ダボス会議）で発表される「世界で最も持続可能な企業100社2019」でも、アパレル・小売関係の2位（全体の54位）にランクインするなど評価を得ています。

これはアパレル業界だけにかぎった話ではありません。**消費者の意識に配慮しなければ、企業のサステナビリティは脅かされる時代になっている**のです。

Z世代
1990年代後半から2000年生まれの世代のこと。物心ついたときからスマホやSNSがある環境で育ったデジタルネイティブで、他の世代に比べて、環境や人権などの社会問題に高い関心をもつのが特徴とされる。

ミレニアル世代
1981年から1996年に生まれた世代。インターネットが普及した環境で育った最初の世代であり、情報リテラシーに優れるのが特徴とされる。SNSなどを通じて、友人との共感を重視したコミュニケーションを重視する意識が強いとされる。

spatuletail / Shutterstock.com

SECTION 09

違いがわかりにくい言葉の意味を整理する

SDGs、CSR、CSVの違いを整理する

ビジネスの世界では次々にアルファベットの略語が出てきます。SDGsについて考えていくと、CSRやCSVという言葉を目にすることがあるでしょう。似ているようですが、異なる言葉である以上、当然のことながら意味は異なります。

SDGsは「目標」、CSRとCSVは「考え方」

「SDGs」「CSR」「CSV」といった違いが紛らわしい言葉について簡単に整理しておきましょう。

企業は利益を追求するなかで公害問題や産地偽装、粉飾決算などの不正行為をするなど、さまざまな問題を起こしてきました。その反省もあって、ステークホルダーに対する適切な意思決定を行い、倫理的観点から事業活動を通じて自主的に社会に貢献する**CSR（企業の社会的責任：Corporate Social Responsibility）**が強く意識されるようになってきました。CSR活動には、法令順守はもちろんのこと、ステークホルダーに対する説明責任を果たすことが含まれます。本業とは関係ないかたちで寄付やボランティア活動などの自主的な取り組みを行う、企業がお金を持ち出して「善いこと」を行うといったイメージもあります。

マイケル・ポーター
アメリカ人の経営学者で、経営戦略論の研究で第一人者。米ハーバード大学経営大学院教授。ファイブフォース分析やバリュー・チェーンなど数多くの競争戦略手法を提唱したことで知られる。

似た言葉に、マイケル・ポーター教授が提唱した**CSV（共創価値：Creating Shared Value）**があります。従来は相容れないと考えられていた「経済効果」と「社会的価値の創出」の両立を目指す考え方で、「社会的問題・課題解決のビジネス化」ともいわれます。CSRより経済的側面に力点が置かれており、SDGsの理念に近い考え方といえます。

SDGsは国連が採択した世界が達成しなければいけない「目標」です。「事業を通じて、環境や人権などの社会課題を解決し、持続的な経済発展」を目指す点で似ていますが、CSRやCSVは目標ではなく「考え方」なので、根本的に違うのです。

SDGs、CSR、CSVの違い

SDGs
Sustainable Development Goals

持続可能な開発目標
- 2015年に国連で採択

全世界共通で目指すべき
17の目標と169のターゲット

CSR
Corporate Social Responsibility

企業の社会的責任
- 1990年代より
使われ始める

本業に関係ない
寄付・ボランティア活動
などによる社会貢献

例)家電メーカーによる
森林再生
プロジェクト など

CSV
Creating Shared Value

共創価値の創造
- 2011年にM・ポーター
教授らが提唱

社会的問題・課題解決
のビジネス化

例)東日本大震災の
被災地の農産物を
使った新商品の
開発 など

SECTION 10

SDGsは「経済」を切り離して考えてはいけない

寄付や慈善事業はSDGsに貢献するひとつの方法

寄付や慈善事業を行うことは素晴らしいことですが、SDGsは第1章でも説明したとおり、「環境保護」「社会的包摂」と「経済開発」を調和させることを求めています。そのためには、「本業」と「社会貢献」を一致させるのが理想的です。

寄付や慈善事業は「経済」的側面が抜けている

SDGsの目標達成のためには、政府や自治体、企業、個人などさまざまなレベルでのアクションを行うことが重要ですが、どんなことができるのでしょうか。

ボランティア活動、慈善事業、寄付などはSDGsに貢献できることのひとつです。個人が貧しい国の子どもたちのために、ワクチンを買うお金を寄付したり、貧しい人のために炊き出しのボランティアに参加することなどは身近できることです。また、**本業を生かした寄付や慈善事業を行うこともできます。**

たとえば、P.172で紹介する「富士メガネ」は、開発途上国にいる視力が悪いのにメガネがなくて困っている人に対して、視力検査を行ったうえで、その人に合ったメガネを無償で供与する取り組みを長年続けています。自分に合ったメガネによって視力を取り戻した人からの感謝の言葉は、社員の新たなやりがいや、より高い専門性を身に付けようとするモチベーションにつながるなど、社員たちはお金に換算できない大切なものを得て、それが本業にいいインパクトを与えているといいます。

また、自社のメリットに結び付いた寄付や慈善事業もあります。たとえば、日用品メーカーが途上国のBoP層を対象に、小分けにした低価格の石鹸を販売して、石鹸を使った手洗い習慣を啓蒙すれば、目標③「すべての人に健康と福祉を」、目標⑥「安全な水とトイレを世界中に」などの達成に貢献できるだけでなく、新たな市場の創出につながります。将来的にBoP層の所得水準が

BoP層
BoPは、「Base of the Pyramid」の略で、一般に年間所得が購買力平価（PPP）ベースで3,000ドル以下の開発途上国の低所得階層のこと。途上国の急速な経済成長によってBoP層の所得向上が期待されることから、BoP層を対象にしたBoPビジネスが注目されている。

BoPビジネスの成功例「ヤクルト」

ヤクルト本社は独自の営業手法「ヤクルトレディシステム」と呼ばれる宅配・移動販売で、乳酸菌飲料「ヤクルト」などの新興国市場開拓に成功しており、BoP ビジネスの成功例として知られている。BoP 層の女性を雇用して、乳酸菌飲料の効用を説明しながら、買いやすいように小分けにして販売。BoP 層の健康増進、貧困解消に貢献しているだけでなく、ビジネスとしても成功をおさめており、新興国を中心とした海外飲料事業売上高は全体の 41%を占める（2020 年 3 月期）。

向上すれば、より高い製品を買ってもらえるかもしれません。このようなかたちで本業の将来的な成長につなげるのもひとつの方法です。

「続ける」という覚悟が本業にもいい影響を与える

里親制度の普及をめざす NPO 法人日本こども支援協会は、新型コロナの感染拡大によって、企業業績が急劇に悪化した数社からの継続支援がゼロになり、苦しい状況に追い込まれました。

このように、企業による慈善活動や寄付は、経営に余裕がなければ継続が難しくなるという現実があります。

植林活動、こども食堂への自社製品の寄付といった活動は、企業の社会的責任を果たすために必要ですし、SDGs に貢献もできます。だからこそ**寄付や慈善活動をする側は、取り組みを継続できるように「続けるという覚悟」をもち、それを本業の力に変えられるようにしたいものです。**

ninekrai / Shutterstock.com

SECTION 11

企業が社会貢献する方法のひとつ

社会貢献の手法として注目されるCRM

近年、商品の売上アップや認知度の向上と、環境保護や社会的弱者の救済などの社会貢献を結び付けた「コーズ・リレーテッド・マーケティング（CRM）」というマーケティング手法を用いる企業が増えています。

カスタマー・リレーションシップ・マネジメント（CRM）
特定の顧客との関係を継続的に築き上げ、その結果として売上や利益、さらには企業価値獲得収益の最大化を図るマーケティング手法のこと。

コーズ（Cause）
信念、社会的大義を意味する。

社会貢献を売上に結びつけるマーケティング手法

ビジネスの世界でCRMというと、カスタマー・リレーションシップ・マネジメント（Customer Relationship Management）を思い浮かべる人も多いでしょう。しかし、近年、同じCRMでもコーズ・リレーテッド・マーケティング（Cause-related Marketing、以下CRM）が注目されています。**CRMは、商品やサービスの売上の一部を社会貢献に結びつくようにNGO（非政府組織）やNPO（非営利組織）などに寄付することで、企業のイメージアップを図るマーケティング手法です。**

企業側から見れば、社会貢献をビジネスに取り込むことでブランドイメージの向上、販売増などにつなげられるというメリットがあります。寄付を受けるNGO、NPOなどにとっても、CRMによって企業から寄付を得る方法を多様化でき、不況などによって寄付が減少する状況でも安定的に資金を得られるだけでなく、取り組んでいる課題や組織自体の認知度向上が期待できるというメリットがあります。

アメリカでは1980年代からCRMは行われており、その起源は1983年にアメリカン・エキスプレスが行った、クレジットカードの利用1回につき1セントを自由の女神の修復のために寄付するプロジェクトだとされています。

売上が先か、社会貢献が先か――CRMのジレンマ

実際にCRMが成功した企業の多くで、ブランドイメージが

CRM(コーズ・リレーテッド・マーケティング)とは?

向上したり、結果的に売上アップに結びついています。一方で、CRMは「企業が売上や利益を増やすために社会貢献を利用している」といった否定的な声があるのも事実です。マーケティング目的が露骨に出てしまうと、消費者にマイナスのイメージをもたれてしまう危険性があります。しかし、実際に企業に利益もたらす取り組みでなければ、その社会貢献を続けることはできません。

CRMの実施に際しては、企業の事業領域とCRMで支援しようとしている社会貢献活動との間に、消費者が納得するようなつながりがあるかが重要です。

たとえば、ミネラルウォーターブランド「ボルビック」が行った「1ℓ for 10ℓ」は、ミネラルウォーター1ℓを出荷するごとにアフリカで井戸を掘り、10ℓの水を新たに供給することを目標にした、ユニセフとの協働プロジェクトでした。**事業領域と支援する社会貢献活動に明確な関連性があれば、より多くの消費者から納得して受け入れてもらいやすくなる好例**といえます。

1ℓ for 10ℓ
2007年から始まった、ボルヴィック1ℓを飲むたびに、アフリカのマリ共和国に清潔で安全な水が10ℓ生まれることを謳ったプログラム。手押しポンプ付深井戸建設などを行い、50億ℓの水を支援した。開始から10年経った2016年8月31日をもって終了した。

SECTION 12

欧州発のサステナビリティの新しい考え方

注目集める「循環型経済(CE)」とは?

欧州発祥の考え方である「循環型経済(サーキュラー・エコノミー)」という言葉を目にする機会が増えています。似た言葉に3Rがありますが、ここでは循環型経済とはどんなものなのか、3Rと何が違うのかについて簡単に説明します。

「循環型経済」と「3R」は違う

昨今、注目を集めている概念に、欧州連合(EU)が打ち出した「循環型経済(CE:Circular Economy)」があります。これまで私たちは「大量生産」→「大量消費」→「大量廃棄」をする「直線型経済」を謳歌してきましたが、CEは「廃棄物」を「資源」と捉え、廃棄物を出すことなく資源を循環させる経済モデルです。

CEが注目を集める背景には、世界の人口が増え続けるなかで、**今までと同じ資源の使い方をすれば資源が足りなくなり、持続可能な発展が難しくなる**という危機感があります。

似たような考え方に、「3R」があります。資源を大切に使おうと考える点ではCEと同じですが、**3Rはできるかぎり廃棄物を少なくすることを目指します。**一方、**CEは既存製品や使っていない資産を活用することで、新たな資源を使わないようにするほか、一度使った資源を使い回して廃棄物ゼロを目指します。**

3R
「Reduce(減らす)」「Reuse(再利用する)」「Recycle(リサイクル)」という「R」からはじまる、環境配慮に関する3つの行動の総称。

アクセンチュアによると、CEには5つのビジネスモデル(P.69下図)があり、その経済効果は2030年までに4.5兆ドル(約495兆円)に上ると試算しています。

EUでは欧州委員会が2015年12月にCEの実現に向けて「サーキュラー・エコノミー・パッケージ(CEP)」を採択。経済成長戦略として推進することで国際的な競争力を高め、持続可能な経済成長、雇用創出を目指しています。その行動計画に列挙されているアクションは、食品廃棄物の削減、水の再利用の促進など、SDGsが達成を目指す目標と重なったものばかりです。

欧州委員会
EUの行政執行機関で、新規法案を策定する権限を持つ。28人の委員で構成され、ドイツ人女性のウルズラ・フォン・デア・ライエン氏が委員長を務める(2020年9月現在)。

直線型経済から循環型経済へ

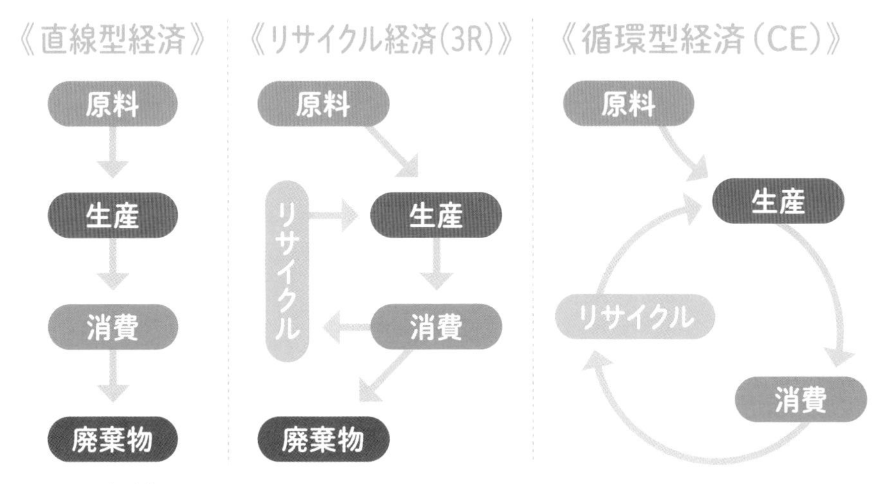

出所：オランダ政府「From a linear to a circular economy」

循環型経済の5つのビジネスモデル

再生型サプライ	原材料に関わるコストを削減し、安定調達を実現するために、繰り返し再生し続ける、100%再生可能な原材料や生分解性のある原材料を導入する
回収とリサイクル	これまで廃棄物と見なされてきたあらゆるものを、他の用途に活用することを前提とした生産／消費システムを構築する
製品寿命の延長	製品を回収し保守と改良することで、寿命を延長し新たな価値を付与する
シェアリング・プラットフォーム	Airbnbのようなビジネス・モデル。使用していない製品の貸し借り、共有、交換によって、より効率的な製品／サービスの利用を可能にする
サービスとしての製品(Product as a Service)	製品／サービスを利用した分だけ支払うモデル。どれだけの量を販売するかよりも、顧客への製品／サービスの提供がもたらす成果を重視する

出所：アクセンチュア

SECTION 13

SDGsについて考える

SDGsが達成できた世界とそうでない世界をイメージする

世界中の人がアクションを起こすべきであることを頭で理解しているだけでは、SDGs の達成には近づけません。それぞれの目標を自分に引き寄せて考えてみることは、アクションを起こすための第一歩です。

貧困問題解消から世界のつながりを考える

P.38 で説明したように、「達成すること」を前提にバックキャスティング思考でSDGsについて考えることは大切です。一方で、SDGs が「達成できない」世界について想像することも必要かもしれません。

たとえば、SDGs の目標①「貧困をなくそう」が達成できない世界について考えてみましょう。

途上国には貧しさゆえに食べることに苦労する人がたくさんいます。空腹が続けば、まともな生活ができるわけがありません。そんな状態であれば、子どもは学校に通えなくなりますし、かりに通っても勉強に身が入らないでしょう。まともに教育を受けられなければ、貧困の連鎖が次の代まで続く可能性が高まります。

もし、目標①を誰一人残さずに達成できれば、貧困が引き起こす不幸を断ち切れます。そして、彼らに経済的に余裕が出てくれば、私たち日本人がつくるモノを買って、日本の経済成長に貢献してくれるかもしれません。

目標⑬「気候変動に具体的な対策を」に取り組まなければ、さらに温暖化が進んで、災害が頻発したり、干ばつや大雨によって食料難に陥るかもしれません。今から対策を取らなければ間に合わないのに「子や孫の時代のことだから関係ない」と考える人はいないはずです。

自分とは無関係に思える問題も少し考えてみれば、「自分ごと」として考える糸口があるのです。

気候変動・地球温暖化に対し、具体的な行動を求める若者たち

2019 年 9 月 23 日に開催された国連気候行動サミットに合わせて、世界各地で「グローバル気候マーチ」が行われ、数百万人の若者が参加した。そのきっかけになったのは、2018 年夏にスウェーデン人の 15 歳（当時）の環境活動家グレタ・トゥンベリさんが行った気候変動のための学校ストライキだった。気候変動や地球温暖化に対して当事者意識が強い若者は、これまでに環境を破壊してきた大人たちに対し、具体的な政策・行動を求めている。

想像力、大局的な視野、長い時間軸で考えよう

繰り返し述べてきたように、世界にはさまざまな問題が山積しています。SDGs の全目標について考えるのが理想的ですが、まずは自分が気になる目標について、当事者意識をもって「達成されないと世界はどうなるか」「達成すると、どう良くなるのか」をイメージしてみてはどうでしょうか。

想像力を使いながら、長い時間軸、大局的な視野で SDGs を見ていくと、私たちに無関係とはいえないことが少しずつわかってきます。それは SDGs に取り組む必要性や重要性を認識することにつながるはずです。

たとえば、貧困問題があることを知らなければ、それについて考えることはできませんから、本書の「付録」で SDGs の 17 の目標と 169 のターゲットを見て、**世界が抱える解決すべき問題にはどんなものがあるかを知ることが重要**です。

JRJfin / Shutterstock.com

» Column

経済格差は想像を絶するレベルまで広がっている

世界の大富豪2,153人の富は46億人の富を上回る！

日本でも経済格差が社会問題となり、話題になることが多くなりましたが、世界に目を向けるとその格差は驚くべきものになっています。

国際NGOオックスファム・インターナショナルの報告書によると、地球に住む約77億人のおよそ6割にあたる46億人の富よりも、世界の上位2,153人の大富豪の富のほうが多いというのです。下表のように世界トップ10の超富裕層は国家予算並みの資産を保有しています。

一方で、同報告書では世界人口の約半分の人々は1日5.5ドル（約600円）以下で生活していると指摘しています。このように世界全体では想像を絶する格差があるのです。

コロナ禍で苦しむ人が増えるなか、アメリカの富裕層は5,650億ドル（約62兆円）の資産を増やしたという報道もありました。

SDGsの目標⑩は「人や国の不平等をなくそう」ですが、達成までの道のりは険しそうです。

世界長者番付（2020年）

順位	順位	資産額	年齢	国	肩書
1	ジェフ・ベゾス	12.43兆円	56	米	アマゾン創業者
2	ビル・ゲイツ	10.78兆円	64	米	マイクロソフト創業者
3	ベルナール・アルノー一族	8.36兆円	71	仏	LVMH CEO
4	ウォーレン・バフェット	7.43兆円	89	米	バークシャー・ハサウェイCEO
5	ラリー・エリソン	6.49兆円	75	米	オラクル創業者
6	アマンシオ・オルテガ	6.06兆円	84	西	インディテックス創業者
7	マーク・ザッカーバーグ	6.02兆円	35	米	フェイスブック創業者
8	ジム・ウォルトン	6.00兆円	71	米	ウォルマート創業一族
9	アリス・ウォルトン	5.98兆円	70	米	ウォルマート創業一族
10	ロブ・ウォルトン	5.95兆円	75	米	ウォルマート創業一族

※資産額は1ドル＝110円で換算　出所：Forbes「Billionaires 2020」

Chap

3

SDGs達成は個人の貢献も重要

SDGsは、国際機関や政府・地方公共団体だけが

取り組むべきものではありません。

地球上に住む私たち一人ひとりの取り組みも

大切になってきます。

「誰一人取り残さない」ことを目指すSDGsは、

世界中のすべての人にとって無関係ではないのです。

SECTION 01

個人としてSDGsにどう向き合うべきか？①

「他人ごと」でなく、「自分ごと」として考える

世界中の人々がSDGsについて他人ごとと考えてしまえば、2030年の達成は実現できません。世界中の一人ひとりがさまざまな問題について知り、自分ごととして考え、行動することが、未来の地球を守るために必要といえます。

自分とは違う人の立場になって想像力を働かせる

SDGsの17の目標を見て、「自分にはあまり関係なさそうだ」と思ったのなら、それはSDGsへの向き合い方として正しいとはいえません。SDGsは「誰一人取り残さない」世界の実現を目指しています。私たちはそのうちの「一人」ですから、17の目標すべてに無関係ではないのです。大切なのは、17の目標すべてを「自分ごと」として考えることです。

自分ごととして考えるためには、想像力が必要です。ここで、「もし誰になるかを選べない状況で誰かと入れ替わるとしたら」を考えてみましょう。男性に入れ替わるか、女性に入れ替わるかわかりません。このときに、男性と女性のどちらに入れ替わりたいでしょうか。現実の世界に目を向けると、男女は平等ではなく、さまざまな性の格差があります。

国連開発計画（UNDP）
1966年に発足した国際連合の開発援助機関。発展途上国に対する技術援助と投資前調査を中心とする援助活動を行なう。本部はアメリカのニューヨークにある。

2020年3月に国連開発計画（UNDP）が公表した「世界価値観調査」によると、世界の約9割の男女が女性に対して何らかの偏見を持っているといいます。たとえば、「男性のほうが政治的指導者に向いている」と考える人は世界の男女の約半数を占め、「雇用数が少ないときは男性のほうが働く権利がある」と考える人は世界の男女の40%以上もいました。驚くべきことに、「男性が妻に暴力を振るうことは正当である」と考える人は28%もいました。

男性か女性かを選べないときに、男女差別がある世界と、男女平等の世界のどちらがいいと考えるでしょうか。このとき女性は

世界に波及した「ブラック・ライブズ・マター」運動

2020年5月25日、アメリカ合衆国ミネソタ州ミネアポリス近郊で、アフリカ系アメリカ人の黒人男性ジョージ・フロイド氏が、白人警察官に8分46秒間も膝で頸部を強く押さえつけられ殺害された。この事件をきっかけに、全米中で抗議活動が行われ、その動きは世界中に広がった。一部では、抗議している人が暴徒化してスーパーマーケットなどで略奪行為が行われたり、建物が放火されるなどの問題も起こった。

もちろんのこと、男性も男女平等の世界のほうがいいと考える人が多いのではないでしょうか。

アフリカや南アジアには飢餓に苦しむ人がたくさんにいますが、飽食の日本に生まれた私たち日本人のなかで、飢餓の苦しさを実感として知る人はほとんどいません。

2020年5月に米ミネソタ州ミネアポリスで起こった警察官による黒人男性の殺害事件をきっかけに、アフリカ系アメリカ人を中心に人種差別を受けてきた人々が「Black Lives Matter（ブラック・ライブズ・マター）」と声を上げました。

その行動に理解を示しても、人種差別される黒人の痛みや怒りを知る日本人はそう多くはありません。世界は平等を目指していますが、生まれた国や人種などによって、置かれる状況や考え方は大きく異なります。それでも**世界の問題の現実を知り、立場や状況が異なる人のことを少しでも自分ごととして考えられれば、行動が変わっていく**のではないでしょうか。

Allison C Bailey / Shutterstock.com

SECTION 02

個人としてSDGsにどう向き合うべきか？②

子どもがつくったサッカーボールを買いますか？

消費者としての行動を変えることで、個人としてSDGsに貢献することができます。そのためには、商品の背景にまで目を配ることも大切です。商品の背景には、児童労働などの不都合な真実が隠されていることがあるのです。

児童労働が発覚して不買運動が起こったことも

今から20年以上前の1997年に、世界中で誰もが知るスポーツウェアやスニーカーが人気のスポーツブランド、ナイキに対する不買運動が起こったことがありました。

当時、同社は人件費が安いインドやパキスタンの工場でサッカーボールを製造していました。企業が利益を出すために、賃金が安い国で製品をつくることはよくあることです。問題となったのは、その工場で子どもが働かされていたこと（児童労働）や、劣悪な環境で不当に低い賃金で長時間働かされている人がいたことです。下請けの工場が学校へ行くべき子どもを働かせていたとはいえ、そこでつくられた商品を販売して利益を上げていたのはナイキです。その事実が明るみに出たことで、世界各国で「子どもたちを働かせてつくったナイキの製品は買わない！」と不買運動が起こりました。

その後、ナイキは同じ過ちを二度と繰り返さないように、労働条件・就労環境改善を約束することになりました。

児童労働
義務教育を妨げる労働や、法律で禁止された18歳未満の危険・有害な労働を「児童労働」という。家の手伝いや高校生のアルバイトは児童労働にはあたらない。ILO（国際労働機関）によると、世界の子どもの10人に1人、約1億5,200万人(2017年)が児童労働をしてる。

チョコレートの原料も児童労働の温床

チョコレートの原料になる、カカオ豆の収穫に子どもが従事していることはよく知られています。主要生産地は、アフリカのコートジボワール、ガーナや東南アジア、中南米の途上国です。

先進国のチョコレートメーカーが、こうした途上国のカカオ農家からカカオ豆を買い叩き、不当に安い価格で購入していたこと

子どもの10人に1人が児童労働者

バングラデシュの首都ダッカの縫製工場で働く子どもたち。国際労働機関（ILO）は4年に一度、世界の児童労働者数の推計を発表しており、2017年9月に発表した報告書「Global Estimates of Child Labour: Results and trends, 2012-2016」では、2016年時点の児童労働者数（5歳～17歳）を1億5,200万人と推計している。

が問題になりました。カカオ生産者は、安価な労働力として本来なら学校に通うべき年齢の子どもを働かせていました。その子どもたちは貧しいから働く→学校に通えない→教育を受けていないためいい仕事に就けないという負の連鎖から抜け出せなくなってしまうのです。

近年では、カカオだけでなく、コーヒーやコットン、サッカーボールなどの品目で、国際フェアトレードラベル機構が定める経済的基準、社会的基準、環境的基準を満たしたことを示す「国際フェアトレード認証ラベル（P.80）」が付いた製品が世界中で増えており、こうした製品を積極的に選ぶ消費者が欧州を中心に増えてきています。

ふだん食べたり、使っているものがどこで、どのようにつくられているかに興味を持つと、消費者として商品の選び方が変わってくるはずです。その選び方を変えることが世界を変える力になるといえます。

国際フェアトレードラベル機構
ドイツに本部を置く途上国の農産物などを適正価格で継続的に輸入・消費するフェアトレード運動の普及に取り組む国際組織。フェアトレード製品認証や啓発活動などを行う。日本ではNPO法人フェアトレード・ラベル・ジャパンがその役割を担う。

SECTION 03

消費者としてできる商品選びの基準①

世界的な潮流になりつつある「エシカル消費」

「エシカル消費」という言葉を聞いたことがあるでしょうか。「エシカル」とは「倫理的な」という意味です。地球環境や人、社会、地域に配慮した消費をする「エシカル消費」に対する注目が日本でも高まりつつあります。

消費者が倫理的に商品を選ぶ「エシカル消費」

貧困、人権、気候変動などの世界的な社会課題を解決しないといけない機運が高まるなか、日常的にする買い物でフェアトレード商品（P.80）や障がい者の支援につながる商品、リサイクル商品などを選んで購入する消費者がいます。

このように**環境や人権に対して十分配慮された商品やサービスを選択して買い求めるのが「エシカル（倫理的な）消費」です。**

とくにヨーロッパでは、環境や人権に対する意識の高まりもあり、小売店では「MSC 認証」「FSC 認証」といった、いわゆるエシカル認証を受けた商品が増えています。

私たちが買うすべての商品は、誰かがどこかでつくったものです。これまで消費者は自分たちが使う商品の裏側にどんな背景があるかにはあまり関心を示してきませんでした。ところが、劣悪な環境で働く子どもによってつくられていたり、絶滅しそうな動植物が犠牲になっていることがわかると、そうした商品は「買わない」という選択をする消費者が増えてきているのです。

日本でも「エシカル消費」という言葉の認知度は高まってきています。しかし、2020 年 2 月に消費者庁が公表した「『倫理的消費（エシカル消費）』に関する消費者意識調査報告書」によると、**「エシカル」という言葉を知っている人は、わずか 8.8%しかいませんでした。**また、同調査では、「SDGs という言葉を知っていますか」と聞いていますが、68.2%の人が「知らない」と答えています。

エシカル認証

第三者機関によって一定の基準を満たしていることを認証する制度のこと。認証を受けた商品に認証ラベル・マークで表示することが多い。持続可能な漁業でとられた水産物であることを第三者が認証した「MSC 認証」や、適切に管理された森林の木材から作られたことを第三者が認証した「FSC 認証」などが有名。世界中にさまざまな認証制度が存在する。

エシカル消費でできること

環境
への配慮

認証ラベルのある商品を選ぶ

- **MSC認証**
海洋の自然環境や水産資源を守って獲られた水産物を購入する
- **FSC認証**
適切に管理された森林資源を使用した商品(紙製品など)

エコ商品を選ぶ
リサイクル素材を使ったものや資源保護などに関する認証がある商品を買う

寄付つき商品を選ぶ
売上金の一部が寄付につながる商品を積極的に買う

生物多様性
への配慮

社会
への配慮

フェアトレード商品を選ぶ
途上国の原料や製品を適正な価格で継続的に取引された商品を使う

被災地の産品を買う
被災地の特産品を消費することで経済を復興を応援する

地域
への配慮

人
への配慮

地元の産品を買う
地産池消によって地域活性化や輸送エネルギーの削減に貢献する

児童労働によってつくられた商品は使わない
児童労働に関与する事業者の商品を買わないことで児童労働に抗議する

出所:消費者庁「エシカル消費リーフレット」より作成

SECTION 04

消費者としてできる商品選びの基準②

海外の生産者の支援につながるフェアトレード商品とは？

消費者として購入する商品を選ぶことでSDGsに貢献できます。そのときに、「フェアトレード」という視点で商品を選ぶのはひとつの方法です。その際に参考になるのが「国際フェアトレード認証ラベル」です。

フェアトレード商品の購入はまだまだ少ない日本

「フェアトレード（Fair Trade：公正取引）」は、発展途上国でつくられた作物や製品を適正な価格で継続的に取引することで、生産者の持続的な生活向上を支える仕組みです。フェアトレードという言葉があるのは、アンフェアなトレード（不公正取引）が存在しているからにほかなりません。

アンフェアなトレードの代表的なものとして、P.76でも触れたカカオが広く知られていますが、コーヒーや紅茶、バナナ、ワイン、スパイス、蜂蜜、スポーツボールなど多岐に渡ります。

フェアトレードはヨーロッパを中心に1960年代から始まり、世界へと広がる運動になりました。近年は日本でもフェアトレードに取り組む団体や企業、フェアトレード商品を扱うお店が増えています。たとえば、スターバックスでは、毎月20日を「Ethically Connecting Day ～エシカルなコーヒーの日～」として、国際フェアトレード認証のコーヒー豆を使ったアイスコーヒーを提供しています。しかし、ヨーロッパや北米に比べ、日本はまだまだ消費者の購入額が少ないのが現状です。

国際フェアトレード認証ラベルがついたフェアトレード商品を買うことは、目標⑫「つくる責任 つかう責任」を達成するための手段のひとつです。SDGsはできることから始めればいいのですから、もしアンフェアトレードに抗議する気持ちがあるなら、フェアトレード商品を見かけときに、他の商品より多少高くても一度買ってみてはどうでしょうか。

国際フェアトレード認証ラベル
製品の原料が生産され、輸出入、加工、製造されるまでの間に、国際フェアトレードラベル機構が定めた基準が守られていることを示すラベル。

出所：フェアトレード・ラベル・ジャパン

国際フェアトレード基準と主要国のフェアトレード小売販売額

国際フェアトレード基準の3つの要素

● フェアトレード・プレミアムとは?

輸入組織により品物代金とは別に支払われる、組合や地域の経済的・社会的・環境的開発のために使われるお金のこと。使途は生産者組合によって民主的に決定される。

経済的基準	社会的基準	環境的基準
フェアトレード最低価格の保証	安全な労働環境	農薬・薬品の使用削減と適正使用
フェアトレード・プレミアムの支払い	民主的な運営	有機栽培の奨励
長期的な取引の促進	差別の禁止	土壌・水源・生物多様性の保全
必要に応じた前払いの保証 など	児童労働・強制労働の禁止 など	遺伝子組み換え品の禁止 など

出所:フェアトレード・ラベル・ジャパン

主要国のフェアトレード小売販売額(2017年)

国名	フェアトレード小売販売額(万ユーロ)	総人口(万人)	1人あたりの小売販売額(ユーロ/人)
スイス	63,058	842.0	74.90
アイルランド	34,200	478.4	71.48
フィンランド	23,353	550.8	42.40
スウェーデン	39,438	1,005.8	39.21
オーストリア	30,400	877.3	34.65
UK	201,366	6,580.9	30.60
ドイツ	132,935	8,252.2	16.11
フランス	56,100	6,491.0	8.64
カナダ	29,656	3,670.8	8.08
USA※	99,412	32,312.8	3.08
イタリア	13,003	6,053.7	2.15
日本	**9,369**	**12,678.6**	**0.74**

※人口はアメリカのみ2016年　出所:Fairtrade International Annual Reports2017-2018、国連より作成

SECTION 05

個人の力が集まれば大きな力になる

消費者は企業を監視する重要な役割を担っている

私たちは消費者として、さまざまなものを購入し、消費しています。日ごろ消費者としての責任について考えることは多くないかもしれませんが、エシカル志向が高まるなか、消費者としての責任を意識する姿勢が求められるようになっています。

「消費者の責任を果たす」という意識をもつ

国際消費者機構（CI：Consumers International）が提唱した「消費者の責任」には以下の５つがあります。

①商品や価格などの情報に疑問や関心をもつ責任
②公正な取引が実現されるように主張し、行動する責任
③自分の消費行動が社会（特に弱者）に与える影響を自覚する責任
④自分の消費行動が環境に与える影響を自覚する責任
⑤消費者として団結し、連帯する責任

これらの責任を果たす消費行動は、「エシカル消費」にほかならず、SDGsの達成に貢献する行動です。

P.76でも紹介したように、児童労働を行っていたナイキに対して、消費者は不買運動を起こすことで②、③の責任を果たしたことは、同社に対する大きな圧力になりました。

このことは、消費者が「エシカル」視点を持って企業を監視することで、企業そして世界をよりよい方向に動かすことができる力があることを端的に示しています。

消費者庁が2020年２月に公表した「『倫理的消費（エシカル消費）』に関する消費者意識調査報告書」において、消費者に「エシカル商品・サービスの提供が企業イメージの向上につながると思うか」と聞いたところ、79.6%が「そう思う」と答えています。

企業側から見て、エシカルな商品やサービスを提供することが

国際消費者機構（CI）
1960年に創設された世界中の消費者団体が加盟するNPO団体。120以上の国から250以上の団体が加盟している。

消費者庁
2009年９月に発足した行政機関。内閣府の外局のひとつ。消費者の安全安心に関わる問題を幅広く所管し、情報の一元的収集・分析・発信、企画立案、法執行などの機能を有する。

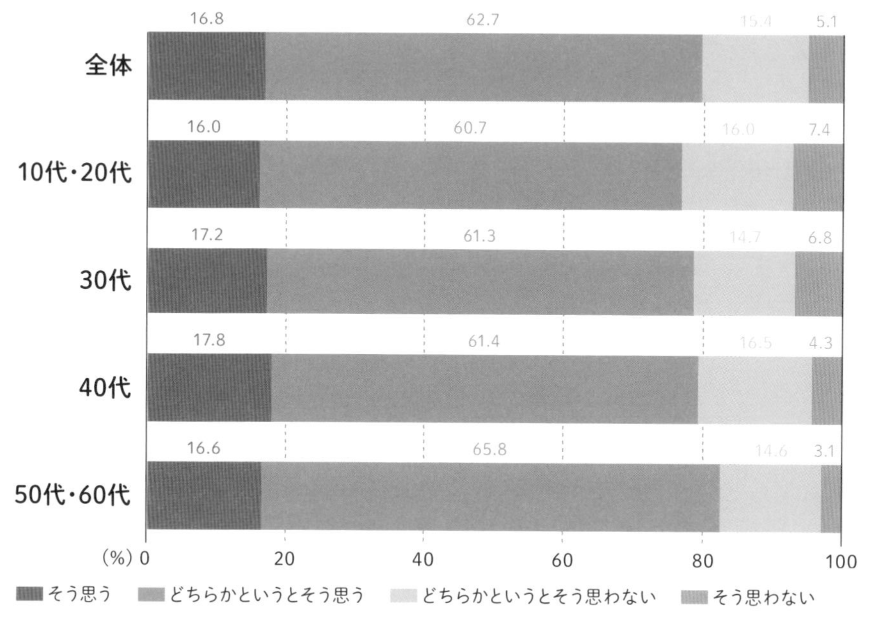

出所：消費者庁「『倫理的消費（エシカル消費）』に関する消費者意識調査報告書」

消費者の好感度アップにつながるのであれば、エシカル商品・サービスの提供に積極的な行動をとるはずです。

消費者が「自分ごと」として関心をもつことが大事

消費者が安い価格のために児童労働を容認してしまえば、児童労働はなくならないでしょう。たとえ、公害が起こっても、「自分が住むところとは関係ない」と多くの人が無関心であれば、同じような問題はなくならないでしょう。

だからこそ、消費者は購入する商品やサービスの背景にある環境問題や人権問題に関心を持つ必要があります。

SDGsは、企業に率先して環境と人権を守ることを求めています。しかし、企業は利益を追求する性（さが）がある組織体です。だからこそ**消費者は、環境や人権をないがしろにするような行き過ぎた利益追求をしないように企業を監視し、行き過ぎたことを見つけた場合は行動する責任がある**といえます。

SECTION 06

ナマケモノでもできるSDGsに貢献できる行動①

レベル1：ソファに寝たままできること

SDGsは世界を変えるための壮大な目標で、その実現には世界の人々が力を合わせることが必要です。自分には関係ないではなく、自分ごととして考え、行動していく必要があります。じつは、寝転がったままでもできることがたくさんあります。

どんなにナマケモノでもSDGsに貢献できる！

では、私たちは個人レベルでSDGsに貢献するにはどうすればいいのでしょうか。できることはあるのでしょうか。

国連広報センター（UNIC）が、「持続可能な社会のために　ナマケモノにもできるアクション・ガイド」という冊子を出し、4つのレベルで「できること」を紹介しています。

もっとも簡単な**レベル1は「ソファに寝たままでできること」**です。右ページには、「持続可能な社会のために　ナマケモノにもできるアクション・ガイド」に書かれているものを列挙しています。これは一部です。探せばもっとできることが見つかるはずです。

たとえば、ソファに寝転がりながらスマホを見ているときにスマホを使って検索すれば、持続可能で環境にやさしい取り組みをしている企業を見つけることができますし、SDGsについて調べて理解を深めることができます。気になる記事を見つけたら、SNSでシェアして友人と環境保護や人権問題について考えることもできます。スマートスピーカーなどのテクノロジーを使っていれば、ソファから動かずに、声だけでテレビや照明の電源を切ることだってできます。

少し想像力を働かせれば、個人としてSDGsに貢献できることが意外に多いと気づくはずです。一人の力は大きくありませんが、多くの人が今より少しだけSDGsの17の目標を意識することで、地球をよりよい方向に動かせるということです。

国連広報センター（UNIC）
国連に対する関心と理解を深めるため、国連の活動全般にわたる広報活動を行う組織。日本をはじめ世界の約60カ国に設置されている。

スマートスピーカー
対話型の音声操作に対応したAIアシスタント機能を持つスピーカーのこと。代表的なものには、グーグルの「Google Home」やアマゾンの「Amazon Echo」などがある。

「レベル1：ソファに寝たままできること」の一例

●電気を節約しよう。電気機器を電源タップに差し込んで、使ってないときは完全に電源を切ろう。もちろん、パソコンもね。

●請求書が来たら、銀行窓口でなく、オンラインかモバイルで支払おう。紙を使わなければ、森林を破壊しなくて済む。

●いいね！ するだけじゃなく、シェアしよう。女性の権利や気候変動についてソーシャルメディアでおもしろい投稿を見つけたら、ネットワークの友達にシェアしよう。

●声を上げよう！　あなたが住んでいる町や国に、人と地球にやさしい取り組みに参加するよう呼びかけよう。私は地球温暖化対策の新しい国際ルール「パリ協定」を支持しています、と意思表示するのもいいね。あなたの国がまだ批准していなければ、そうするように求めよう。

●印刷はできるだけしない。覚えておきたいことをオンラインで見つけたら、どうするかって？ ノートにメモしたり、もっといいのはデジタル付箋を使って、紙を節約すること！

●照明を消そう。テレビやコンピューターの画面は意外と明るいから、必要ないときにはそれ以外の照明を消しておこう。

●オンライン検索すると、持続可能で環境にやさしい取り組みをしている企業が見つかるよ。そういう会社の製品を買うようにしよう。

●オンラインでのいじめを報告しよう。掲示板やチャットルームで嫌がらせを見つけたら、その人に警告しよう。

●ハッシュタグ #globalgoals を使って、あなたがグローバルゴールズ／SDGsを達成するために何をしているか、私たちに教えてね！

出所：国連広報センター「持続可能な社会のために　ナマケモノにもできるアクション・ガイド（改訂版）」

SECTION 07

ナマケモノでもできるSDGsに貢献できる行動②

レベル2:家にいてもできること

家のなかでできることもたくさんあります。当然のことながら、ソファに寝ているときよりもできることは増えてきます。家族内でもSDGsに貢献する意識を共有できれば、より大きな力にできます。

家から出なくでもさまざまな貢献ができる

レベル1「ソファに寝ていてもできること」の次は、**レベル2「家にいてもできること」**です。できることはもっと増えます。

今まで顔を洗うときに水を出しっぱなしにしたり、お風呂で体を洗うときにシャワーを出しっぱなしにしていたのなら、洗うときだけ水を出すようにすれば、水を節約できます。髪を乾かすときにドライヤーを使わなければ、電気を節約できます。

家で食べきれないものが出たら、冷凍して簡単に捨てないことも大切です。食べものの無駄だけでなく、お金の無駄も減らすことができます。

とくに日本は食品ロス大国です。年間2,550万トンの食品廃棄物が出されており、まだ食べられるのに廃棄される食品、いわゆる「食品ロス」は612万トン(2017年度推計値)もあります。これは日本人1人当たりお茶腕約1杯分(約132g)の食べものを毎日捨てている計算です。ちなみに、この量は2018年の世界の食糧援助量(約390万トン)の1.6倍に相当します。

洗濯をするときに、すすぎが2回必要な粉末洗剤ではなく、すすぎが1回で済む液体洗剤に変えれば節水になります。

小さな積み重ねでも多くの人が意識して行動を変え、継続していけば、大きな力になります。家にいても自分にできることがないかを探してみると、意外と簡単にSDGsに貢献できる行動が身の回りにあることに気づくはずです。できることはたくさんあるはずです。

「レベル2：家にいてもできること」の一例

●ドライヤーや乾燥機を使わずに、髪の毛や衣服を自然乾燥させよう。衣服を洗う場合には、洗濯機の容量をフルにして使おう！

●短時間のシャワーを利用しよう。ちなみに、バスタブ入浴は5～10分のシャワーに比べて、水が何十リットルも余計に必要になるよ。

●肉や魚を控えめに。肉の生産には植物よりも多くの資源が使われているよ。

●生鮮品や残り物、食べ切れないときは早めに冷凍しよう。翌日までに食べられそうにないテイクアウトやデリバリーもね。そうすれば、食べ物もお金も無駄にしなくて済むからね。

●堆肥を作ろう。生ゴミを堆肥化すれば、気候への影響を減らすだけでなく、栄養物の再利用にもつながる。

●紙やプラスチック、ガラス、アルミをリサイクルすれば、埋立地を増やす必要がなくなる。

●できるだけ簡易包装の品物を買おう！

●窓やドアの隙間をふさいでエネルギー効率を高めよう！

●エアコンの温度を、冬は低め、夏は高めに設定しよう！

●古い電気機器を使っていたら、省エネ型の機種や電球に取り替えよう！

●できれば、ソーラーパネルを家に取り付けよう。電気代は確実に減るはず！

●すすぎをやめよう。食洗器を使う場合には、あらかじめ皿を水洗いしないで！

出所：国連広報センター「持続可能な社会のために　ナマケモノにもできるアクション・ガイド（改訂版）」

SECTION 08

ナマケモノでもできるSDGsに貢献できる行動③

レベル3:家の外でできること

家でできることもたくさんありましたが、家の外に出て買い物をしたり、食事をすれば、そこでもできることはたくさんあります。サステナブルな買い物やサステナブルな食事など、今後はますます「持続可能な」行動を求められるようになるはずです。

外出先でできることもたくさんある

レベル3は「家の外でできること」です。さらにできることが増えてきます。**家の外に出れば、いろいろな人との関わりが出てくるからこそ、一人ではできないことや、複数の人が協力するからこそできるような取り組みについて考えたいものです。**

2020年7月1日から日本でもレジ袋の有料化がスタートしましたが、買い物にエコバッグを持参すれば、わざわざお金を払ってレジ袋を買わずに済みます。お金のムダをなくせるだけでなく、社会問題になっている、海に流出した海洋プラスチックごみによる海洋汚染や生態系の破壊を食い止めることに貢献できます。

海洋プラスチックごみ
海に流れ込んだビニール袋やペットボトル、使い捨て容器などのこと。プラスチックごみのなかでも、5ミリ以下のものをマイクロプラスチックと呼ぶ。近年、マイクロプラスチックが海洋汚染や海の生態系に悪影響を与えることが大きな問題になっている。

一方で、2020年1月1日から大手スーパーマーケットやコンビニエンスストアがビニール袋を廃止したタイでは、消費者が持参したエコバッグに入らないものを買い控えたため、大手スーパーマーケットやコンビニエンスストアの売上が減少したといいます。消費者の利便性や環境と経済のバランスをどう考えるかという新たな悩みに直面しています。

なお、米ニューヨーク州は2020年3月1日からのレジ袋廃止の予定を延期しました。その理由は新型コロナの感染拡大です。使い捨てのレジ袋より使い回すエコバッグのほうが感染を拡大させる懸念があると判断されたのです。

そのときの状況に応じた対応ができるような柔軟性も忘れないようにしたいものです。

「レベル3：家の外でできること」の一例

●買い物は地元で！ 地域の企業を支援すれば、雇用が守られるし、長距離トラックの運転も必要なくなる。

●「訳あり品」を買おう！　大きさや形、色が規格に「合わない」という理由だけで、捨てられてしまうような野菜や果物がたくさんあるよ。

●レストランに行ってシーフードを注文したら必ず、「サステナブル・シーフードを使っていますか？」と聞いてみて！　あなたが海にやさしいシーフードを求めていることを、行きつけの店に知らせてあげよう。

●サステナブル・シーフードだけを買おう！　どの海産物が安全に消費できるかを知ることができるアプリもいろいろ開発されているよ。

●詰め替え可能なボトルやコーヒーカップを使おう。無駄がなくなるし、コーヒーショップで値引きしてもらえることも！

●買い物にはマイバッグを持参しよう。レジ袋は断って、いつもマイバッグを持ち歩くようにしよう。

●ナプキンを取り過ぎないこと。テイクアウトを食べるのに、大量のナプキンはいらないはず。必要な分だけ取るようにしよう。

●ビンテージものを買おう。新品がいつも最高とは限らないよ。中古品店から掘り出し物を見つけては？

●使わないものは寄付しよう。地元の慈善団体は、あなたが大事に使っていた衣服や本、家具に新しい命を吹き込んでくれるはず！

●国や地方自治体のリーダーを選ぶ権利を上手に使おう。

出所：国連広報センター「持続可能な社会のために　ナマケモノにもできるアクション・ガイド（改訂版）」

SECTION 09

ナマケモノでもできるSDGsに貢献できる行動④

レベル4：職場でできること

自宅よりも職場で過ごす時間が長くなる人もいるでしょう。その職場でもSDGsに貢献できるアクションはたくさんあります。テレワークの普及で自宅で作業をする人が増えているので、職場を「自宅」に置き換えて考えてみてもいいかもしれません。

職場でもできること、考えることはたくさんある

レベル4は「職場でできること」です。

日本のジェンダー・ギャップ指数は154カ国中124位と先進国で最低レベルです。管理職ポジションに就いている男女の人数の差が大きく、同じような労働でも賃金格差が大きく、「ジェンダー平等」という観点では、後進国と言わざるを得ません。こうした不平等に声を上げることは大切です。人種差別やLGBTの人に対する差別に対しても敏感であるべきでしょう。

LGBT
レズビアン、ゲイ、バイセクシャル、トランスジェンダー、それぞれの英語の頭文字からとったセクシャルマイノリティの総称。

一方で、差別を是正するために差別を受けている集団に対して優遇措置をとると、その集団に属さない人が逆に不利益な扱いを受ける逆差別が起こることもあり得ます。**一人ひとりが「平等とは何か」を考えることも大切です。**

もし会社がSDGsに取り組んでいなければ、声を上げてもいいでしょう。昨今は、SDGsに取り組まないような企業を取引先として選ばない大企業も増えているからです（P.106）。

第4章でも触れますが、下請け会社に無理な要求をしていないか、仕入れ先は環境破壊や人権侵害を行っていないかなど、取引先との関係についても考える必要性が増しています。

労働者としての自分の権利である有給休暇をきちんと取ることも大切です。日本では、2019年4月から「年5日の年次有給休暇の取得義務」がスタートしています。

使い捨てコップをやめてマイマグカップを使う、書類のやりとりをデジタル化するなど、できることはたくさんあるはずです。

➔「レベル4：職場でできること」の一例

●職場のみんなが医療サービスを受けられているかな？　労働者としての自分の権利を知ろう。そして、不平等と闘おう。

●若者の相談相手になろう。それは誰かをよりよい未来へと導くための、思いやりある、刺激的でパワフルな方法です。

●女性は男性と同じ仕事をしても、賃金が10％から30％低く、賃金格差はあらゆる場所で残っている。同一労働同一賃金を支持する声を上げよう。

●社内の冷暖房装置は省エネ型に！

●あなたの会社は、クリーンでレジリエント（強靭な）インフラ整備に投資しているかな？　それは労働者の安全と環境保護を確保する唯一の方法。

●職場で差別があったら、どんなものであれ声を上げよう。性別や人種、性的指向、社会的背景、身体的能力に関係なく、人はみんな平等だから。

●通勤は自転車、徒歩または公共交通機関で。マイカーでの移動は人数が集まったときだけに！

●職場で「ノーインパクト（地球への影響ゼロ）週間」を実施しよう。せめて1週間でも、より持続可能な暮らし方について学んでみよう。

●声を上げよう。人間にも地球にも害を及ぼさない取り組みに参加するよう、会社や政府に求めよう。パリ協定への支持を声にしよう。

●日々の決定を見つめ直し、変えてみよう。職場でリサイクルはできている？ 会社は、生態系に害を及ぼすようなやり方をしている業者から調達をしていないかな？

●労働にまつわる権利について知ろう。

出所：国連広報センター「持続可能な社会のために　ナマケモノにもできるアクション・ガイド（改訂版）」

Column

日本のPETボトルのリサイクル率はどれぐらい？

欧米に比べるとはるかに高いPETボトルのリサイクル率

日本のPETボトルのリサイクル率は、世界最高水準です。欧州が約40%、アメリカが約20%にとどまるのに対し、日本は約85%とずば抜けて高くなっているのです。

2018年11月に国内の飲料メーカーが参加する全国清涼飲料連合会が「プラスチック資源循環宣言」を発表。2030年度までにPETボトルの100%有効利用を目指す目標を掲げました。政府、自治体、NPO、そして消費者と連携しながら、2030年度までにPETボトルの100%有効利用を目指しています。

技術の進歩によってPETボトルの軽量化も進んでいます。「最近、ペコペコしたPETボトルが増えた」と感じた人も多いかもしれません。それは軽量化の取り組みです。2004年度と比較すると、2018年度時点で23.6%の軽量化を達成しています。また、環境に配慮して原料の一部に植物由来素材の導入なども行われています。

日欧米のPETボトルのリサイクル率の推移

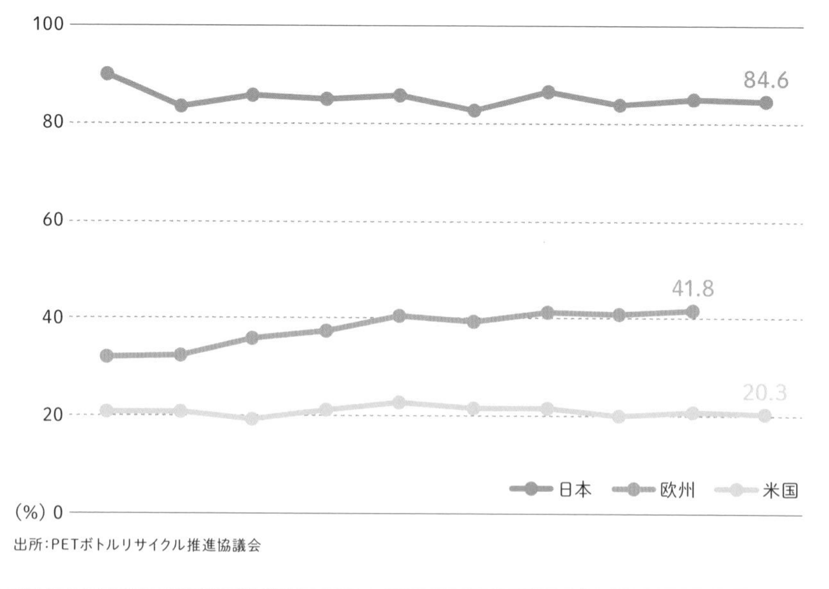

出所：PETボトルリサイクル推進協議会

Chap

4

SDGsは企業経営のチェックリスト

いまや企業にとって、SDGsは

取り組むべきものになりつつあります。

SDGsは達成を目指す目標であるだけでなく、

企業が事業を行ううえで、

事業活動が正しく行われているかを測るための

チェックリストと考えることもできます。

SECTION 01

企業は利益だけを追い求めればいいのか？

利益だけを追求するのは時代遅れの考え方

これまで私たち人間が経済的利益のために、環境や人権を顧みなかったことに対する反省をしなければいけません。SDGsの達成を目指す現代において、企業が利益だけを追及する考え方は時代錯誤であるだけでなく、自らの首を絞める行為です。

私たちは大切なことをないがしろにしてきた

水俣病
1950年代に発生した、工場の排水に含まれたメチル水銀が蓄積された魚や貝などを食べることによって起きた病気のこと。脳や神経を侵し、手足のしびれ、見える範囲が狭くなる、耳が聞こえにくい、動きがぎこちなくなるなどの症状が起こる。また、新潟県の阿賀野川流域でも同じ病気が発生し、第二水俣病と呼ばれた。

イタイイタイ病
富山県の神通川流域で、1910年代から1970年代にかけて発生した鉱山の製錬に伴う未処理廃水に含まれるカドミウムによって起きた病気のこと。患者が「イタイ、イタイ」と泣き叫ぶことからこの名が付いた。

私たちは、環境や人権を犠牲にして経済発展してきました。たとえば、日本では高度経済成長期に水俣病やイタイイタイ病などの公害が社会問題になりました。**これまで企業は環境を破壊し、多くの人命を犠牲にしましたが、その主な原因は環境や人権よりも利益の追求を優先した企業の姿勢にありました。**

第1章で説明したSDGsウエディングケーキモデルでもわかるように、私たちは環境から享受する恵みを土台に社会、経済を成り立たせています。それなのに、環境を破壊し続けて取り返しのつかないダメージを与えてしまえば、私たちはその恵みを受ける暮らしが維持できなくなります。

また、途上国の小さな子どもや貧しい人たちを低賃金で雇い、劣悪な環境で働かせながら莫大な利益を上げるような行為は、貧しい人たちの貧困を固定化させて、新たなマーケットを生むことを阻害するため、めぐりめぐって世界中の企業の利益獲得の機会を失わせます。

SDGsは、こうした「環境」や「人権」の問題を解決しなければ、長期的な時間軸でみたときに経済の持続的成長を阻害することを痛烈に指摘しているのです。

長期的視点で「利益」という言葉の意味を考える

「持続可能な開発」という言葉を考えるうえで重要なのは、長い時間軸をもって物事を考えることです。そのうえで、企業は「利

企業が起こしたきたさまざまな不祥事

年	関係した企業	内容
1956	チッソ	工業廃水を無処理で水俣湾に排出したことで、周辺住民に健康被害。この年に公式に確認された（水俣病）
1960	石原産業、中部電力、三菱油化など	四日市コンビナートから排出された大量の亜硫酸ガスによる大気汚染を原因とする、ぜんそく症状を訴える周辺住民が増加しはじめる（四日市ぜんそく）
1965	昭和電工	工業廃水を阿賀野川に排出したことで周辺住民に健康被害。この年に公式に確認された（第2水俣病）
1968	三井金属鉱業	1910年代より鉱山の廃水により神通川下流域で周辺住民に健康被害。この年に公害認定（イタイイタイ病）
1989	エクソン	アラスカ州のプリンス・ウィリアム湾で座礁し、大量の原油を流出させ、甚大な海洋汚染を引き起こした（エクソンバルディーズ号原油流出事故）
1996	アディダス、ナイキ	ILO（国際労働機関）の調査により、パキスタン・シアルコット地方で生産されるサッカーボールは、約7,000人の児童が労働に従事してつくられていることが判明
1997	ナイキ	インドネシア、ベトナムなどの工場における児童労働が発覚
2010	フォックスコン	アップルやデルの製造委託先である台湾の鴻海精密工業の中国子会社で違法な過酷労働が発覚
2010	BP	海底油田を掘削していた施設で、BPの過失により天然ガスが引火して爆発。パイプが破損し、大量の原油がメキシコ湾へ流出。過去最大級の海洋汚染に
2015	フォルクスワーゲン	ディーゼルエンジンの一部車種で、実走行時の有害排出物が規制値を大幅に上回っていることが判明

益」について考える必要があります。

たとえば、漁師が目先の利益を追い求めて乱獲すれば、一時的には莫大な利益を手にできるかもしれませんが、数年後には資源が枯渇して、環境から恵みを享受できなくなるでしょう。そのような持続不可能なことをしてまで得た利益が、本当の利益といえるでしょうか。「利益を上げる企業＝優良企業」かもしれませんが、**手段を選ばずに利益を上げるような行為は、社会から厳しい追及を受けることがあっても賞賛されることはないのです。**

SECTION 02

SDGs以前の国際条約や協定の歴史

社会の変化で変わってきた企業に求められること

人種差別や環境破壊などの問題が起きるたび、国連をはじめとする国際機関や各国政府によって、さまざまな条約や協定が結ばれ、世界をより良い方向へ動かそうとしてきました。しかし、過去に条約や協定が結ばれても、依然、問題は解決されていません。

今、企業は「SDGs」への関与を求められている

新型コロナによって世界は劇的な変化を遂げています。日本でも普及が停滞していたテレワークが当たり前になり、Uber Eatsのような新しいサービスの利用者が急増しました。

今後もパンデミックのような否応なく対応を余儀なくされる危機だけでなく、さまざまな大きな変化を経験するでしょう。

企業、そしてビジネスパーソンは、時代のニーズの合わせた意識の変革を求められ、そのスピードについていけなければ淘汰されます。ライフスタイル、消費行動、環境や人権に対する意識など、さまざまな変化に敏感になりつつ、長い時間軸で将来を見通す力を養う必要があるといえます。

アメリカで黒人が人種差別の撤廃と自由と権利を求めて公民権運動が起こり人権問題が注目されると1965年には人種差別撤廃条約が国連で採択されました。1990年代は地球温暖化などの環境問題に対する意識が高まり、2000年代に入って、不正をしてまでも利益を上げようとするエンロン事件などの企業の不祥事が問題になると、CSR（企業の社会的責任、P.62）が重視され、今では当たり前に考えるべきことになっています。そしてSDGsが大きな注目を集めています。

求められるものは時代とともに変わってきていますが、今後、**SDGsに取り組まなければ、時代の要請に応えていないとみなされます。「SDGsへの関与」と「企業の持続可能性」は、今後よりいっそう密接な相関性を持つようになるはずです。**

Uber Eats
スマホのアプリを使って、対応している飲食店に出前を注文できるサービス。世界45カ国・地域、6,000都市以上（2020年7月現在）でサービスを展開する。日本では2016年にサービスが開始された。

公民権運動
1950年代から1960年代にアメリカで展開された、人種差別の撤廃と自由と権利を求める社会運動のこと。この運動の指導者として非暴力抵抗運動を展開したマーチン・ルーサー・キング牧師は、1964年にノーベル平和賞を受賞した。

エンロン事件
アメリカの総合エネルギー企業エンロンが起こした不正会計事件。2001年に粉飾決算が明るみに出ると、同社は多額の負債を抱えて破綻した。ずさんな経営が大きな問題になった。

SDGs採択に至るまでの背景

	環境関連	人権関連
1965年		人種差別撤廃条約採択
1966年		社会権規約採択、自由権規約採択
1973年	ワシントン条約(絶滅危惧種保護)採択	
1976年	OECD多国籍企業行動指針	
1979年	長距離越境大気汚染条約採択	女性差別撤廃条約採択
1984年		拷問等禁止条約採択
1985年	ウィーン条約採択	
1987年	環境と開発に関する世界委員会報告書「Our Common Future」 モントリオール議定書(フロンガス規制)	
1988年	IPEC(国連気候変動に関する政府間パネル)設立	
1989年		子どもの権利条約採択
1990年		移住労働者権利条約採択
1992年	環境と開発に関する国連会議(地球サミット)、気候変動枠組条約採択、国連生物多様性条約採択	
1997年	京都議定書採択	
2000年	ミレニアム開発目標(MDGs)採択	
2002年	持続可能な開発に関する世界サミット	
2006年	国連責任投資原則(PRI、P.132)	障害者権利条約採択、強制失踪防止条約採択
2010年	ISO26000社会的責任に関する手引き発行	
2011年		国連ビジネスと人権に関する指導原則
2012年	国連持続可能な開発会議(リオ+20)	
2015年	持続可能な開発目標(SDGs)採択	
	パリ協定採択	

SECTION 03

SDGsの経済効果は想像以上に大きい！

SDGsは企業にとって「宝の山」12兆ドルの経済価値をもたらす

SDGs が目指す 17 の目標、169 のターゲットを解決するには、さまざまな知恵やイノベーションが必要です。企業が問題解決に貢献しようとすること——それは世界にとってニーズがあることなのですから、そこにたくさんのビジネスチャンスがあるはずです。

SDGsは莫大な経済効果と雇用を生む

2017 年 1 月に開催された世界経済フォーラム（ダボス会議）において、ビジネス & 持続可能開発委員会（BSDC）は、実体経済の約 60%を占める「食料と農業」「都市」「エネルギーと材料」「健康と福祉」の４つの経済システムで、**「2030 年までに企業が SDGs を達成することによって年間 12 兆ドル（約 1,320 兆円）の経済価値がもたらされ、最大３億 8,000 万人以上の雇用が創出される可能性がある**」と発表しました。

ビジネス&持続可能開発委員会（BSDC）
2016 年１月のダボス会議で、2018 年１月までの２年限定で設置された委員会。SDGs の成果とビジネスセクターの貢献を測ることを目的に活動した。国連基金などの公的機関のほか、ビル&メリンダゲイツ財団やユニ・リーバなどの民間の支援により運営された。

企業が事業活動によって地球の危機的な状況を好転させる役割を求められている以上、SDGs という世界共通の目標の達成に貢献できる事業を手掛けることは、大きなビジネスチャンスにつながることを意味します。

企業にとって、SDGs が「宝の山」といわれるのは、**17 の目標、169 のターゲットのなかに、新しいビジネスを発見するヒント**があるからです。

BSDC は、「市場機会の価値」という言葉で、その経済効果を試算しています。たとえば、12 兆ドルのうち、モビリティシステム（交通手段の選択を支援する情報提供システムや自家用車を代替し得る新たな交通手段など）は、2030 年までに 2.02 兆ドル（約 222 兆円）の経済効果があると推定されています。つまり、SDGs に関与しないことは、こうした市場機会をわざわざ逸することを意味します。**企業が SDGs に注目すべきなのは利益に直結するという側面があるからともいえるのです。**

2030年における市場機会の価値

出所：ビジネス＆持続可能開発委員会「より良きビジネス より良き世界」

SECTION 04

SDGsという宝の山はどこにあるのか？

SDGsとビジネスチャンスが連動する60のビジネス領域

P.98では、2030年までに12兆ドルの経済価値が創出される可能性があることについて触れましたが、ビジネス＆持続可能開発委員会（BSDC）は、60の領域でビジネスチャンスがあるとしています。

チャンスがある領域に取り組まないのはリスク

ビジネス＆持続可能開発委員会（BSDC）は、SDGsが2030年までに12兆ドルの経済価値が創出される可能性があると示唆しました。具体的には、「食料と農業」「都市」「エネルギーと材料」「健康と福祉」の4分野・60領域でビジネスチャンスがあるとしています。

60の領域はいずれもSDGsの目標達成に貢献するものばかりで、いずれも社会的および環境的な持続可能性の追求と利益追求を同時実現できるものになっています。60のビジネス領域で革新的な技術や解決アイデアを持つ企業は、SDGsに貢献できるだけでなく、事業を持続可能な成長軌道に乗せる期待ができるということです。

たとえば、右ページの表の「都市」分野に、「電気およびハイブリッド車」があります。2020年7月、イギリスはガソリン車、ディーゼル車、ハイブリッド車の販売を従来より5年前倒しして2035年で禁止することを決めました。各国がガソリン車やディーゼル車の販売禁止を表明するなか、電気自動車をつくらない自動車メーカーに未来がないのは明白です。

60の領域の事業に消極的であれば、持続可能な成長モデルに移行できなくなって、持続的な成長は難しくなります。**BSDCが示した60の領域は、未来のビジネスチャンスを示唆するのと同時に、これらに取り組まないことがリスクであることも示している**といえます。

ビジネスチャンスがある60のビジネス領域

食料と農業	都市	エネルギーと材料	健康と福祉
バリューチェーンにおける食糧浪費の削減	手ごろな価格の住宅	サーキュラーモデル - 自動車	リスク・プーリング
森林生態系サービス	エネルギー効率 - 建物	再生可能エネルギーの拡大	遠隔患者モニタリング
低所得食糧市場	電気およびハイブリッド車	循環モデル - 装置	遠隔治療
消費者の食品廃棄物の削減	都市部の公共交通機関	循環モデル - エレクトロニクス	最先端ゲノミクス
製品の再調整	カーシェアリング	エネルギー効率 - 非エネルギー集約型産業	業務サービス
大規模農場におけるテクノロジー	道路安全装置	エネルギー保存システム	偽造医薬品の検知
ダイエタリースイッチ	自律車両	資源回復	たばこ管理
持続可能な水産養殖	ICE(内燃エンジン)車両の燃費	最終用途スチール効率	体重管理プログラム
小規模農場におけるテクノロジー	耐久性のある都市構築	エネルギー効率 - エネルギー集約型産業	改善された疾病管理
小規模灌漑	地方自治体の水漏れ	炭素捕捉および格納	電子医療カルテ
劣化した土地の復元	文化観光	エネルギーアクセス	改善された母体・子供の健康
包装廃棄物の削減	スマートメーター	環境にやさしい化学物質	健康管理トレーニング
酪農の促進	水と衛生設備	添加剤製造	低コスト手術
都市農業	オフィス共有	抽出物現地調達	
	木造建造物	共有インフラ	
	耐久性のあるモジュール式の建物	鉱山復旧	
		グリッド相互接続	

出所:ビジネス&持続可能開発委員会「より良きビジネス より良き世界」

SECTION 05

サプライチェーンに潜むリスクを考えるきっかけ

ラナ・プラザ崩落事故から企業が考えるべきこと

2013年4月24日にバングラデシュの首都ダッカ近郊で、8階建ての商業ビル「ラナ・プラザ」が崩れ落ちる事故が起こりました。このビルに入居する大手アパレル向けの製品をつくる縫製工場で、劣悪な労働条件で働く人々が犠牲になり、アパレル産業への批判が高まりました。

企業の考え方を変えた「ラナ・プラザ崩落事故」

2013年4月24日、バングラデシュの首都ダッカ近郊にある、有名ファッションブランドの縫製工場や銀行、商店などが入った商業ビル「ラナ・プラザ」が崩落。死者1,134人、負傷者2,500人以上という大惨事になりました。

この事故は過酷な労働環境について世界中に考える機会を与えました。ラナ・プラザの縫製工場で働いた人々は、劣悪な環境のもと低賃金で働かされていたのです。アパレル業界は国をまたいだ分業制が進んでおり、ある有名ファッションブランドは、ラナ・プラザの縫製工場で低コストで良質な商品をつくっていました。しかし、グローバル化が進み、国際貿易が複雑化した結果、自社製品がどこでどのような環境でつくられているのかを詳しく把握していなかったことが明らかになりました。こうした姿勢が国際社会から大きな批判を浴びたのです。

この事故をきっかけに、アパレル業界のみならず、さまざまな産業でも「商品はどこで、誰によってつくられたのか」「労働環境は整っているのか」と、サプライチェーン（P.104）の川上の実態を明らかにし、川下に位置するメーカーもその責任を負うべきという意識が高まったのです。

依然、世界には強制労働や児童労働がたくさんある

2018年9月に、米労働省国際労働局が公表した「児童労働または強制労働によって生産された商品リスト（List of Goods

ラナ・プラザ崩落事故の様子

2013年4月24日にラナ・プラザが崩落する前日に、縫製工場の従業員たちは、8階建てのビルの壁や柱にひびがあるのを発見しており、その報告を受けた地元警察は退去命令を出していた。しかし、工場のマネージャーは従業員に対し、「仕事に戻らなければ、解雇の可能性がある」と話したため、解雇を恐れた従業員は翌日もいつもどおりに出勤したという。その結果、死者1,134人、負傷者2,500人以上という大惨事になってしまった。

Produced by Child Labor or Forced Labor」には、バングラデシュの「テキスタイル」のほか、映画「ブラッド・ダイヤモンド」で有名になったシエラレオネの「ダイヤモンド」、インドや中国の「靴」など、東南アジア、南アジア、アフリカ、南米を中心にした76カ国で生産された148の商品がリストアップされています。依然、世界には多くの児童労働、強制労働が行われているのです。

ブラッド・ダイヤモンド
アフリカ・シエラレオネで1991年～2002年に起こった内戦で、紛争の資金調達のために不正取引された「紛争ダイヤモンド」について描いた、レオナルド・ディカプリオ主演のハリウッド映画。

「サプライチェーンのどこかに問題がないかチェックしよう」と言うのは簡単です。しかし、サプライチェーンが複雑になっているグローバル企業が実際に強制労働や児童労働がないことを確認するのは簡単ではありません。それでも、とくに社会的責任が大きいグローバル企業などに対しては、サプライチェーンの川上まで遡って問題・課題に対処する必要性が増しています。**「サプライチェーンのすみずみまで目を光らせるのは現実的でない」と、言い逃れできる時代ではなくなっているのです。**

Bayazid Akter / Shutterstock.com

SECTION 06

SDGsに取り組むときに必要な視点

「サプライチェーン」と「バリューチェーン」とは？

企業がSDGsについて考えるときに、自社だけにとどまって考えるだけは不十分です。なぜなら企業の事業活動は自社だけで完結することはあり得ないからです。自社の川上や川下について無関係と考えるのではなく、自社の一部として目を配る必要があるのです。

自社とつながる他社（他者）まで考える目線

企業がSDGsの取り組みを考えるうえで、「サプライチェーン」「バリューチェーン」という言葉を知っておく必要があります。

・**サプライチェーン**……サプライ（供給）のチェーン（連鎖）。モノの流れに着目した、原材料・部品の調達から生産、流通、小売りを経て消費者に届くまでのプロセスのこと。

・**バリューチェーン**……1985年にマイケル・ポーター教授が著書『競争優位の戦略』で提唱した、自社の事業を「主活動（製品・サービスが顧客に届くまでの流れと直接関係する活動）」と「支援活動（主活動を支える活動）」に分類し、どの工程で付加価値（バリュー）を出しているかを分析するための考え方。

ここでは詳しい説明を割愛しますが、この2つの言葉は、人や立場によって解釈が変わることがあります。とくにバリューチェーンは、「一企業のモノの流れとそれ以外の部分（支援活動）も含む価値の流れ」と考える場合もありますし、国際分業が進んだ製造業などにおいて、どの段階でどれくらいの価値が付くのかという貿易のメカニズムであるグローバル・バリューチェーン（GVC）を指す場合もあります。また、サプライチェーンとバリューチェーンをほぼ同義で使われるケースもあります。

大切なことは、企業には社内外にさまざまなつながりがあるということです。**自分が働く会社のSDGsの取り組みを考えるうえで、自社だけでなく、関係する川上、川下のパートナーまで含めて目を配る必要性がある**ということです。

グローバル・バリューチェーン（GVC）
複数国にまたがって配置された生産工程の間で、財やサービスが完成されるまでに生み出される付加価値の連鎖のこと。生産プロセスを分割して、異なる国に分散させることで、コスト削減やスケールメリットの実現などを目指す。

サプライチェーンとバリューチェーン

サプライチェーン

原材料から消費者に届くまでの受発注する企業間のプロセス

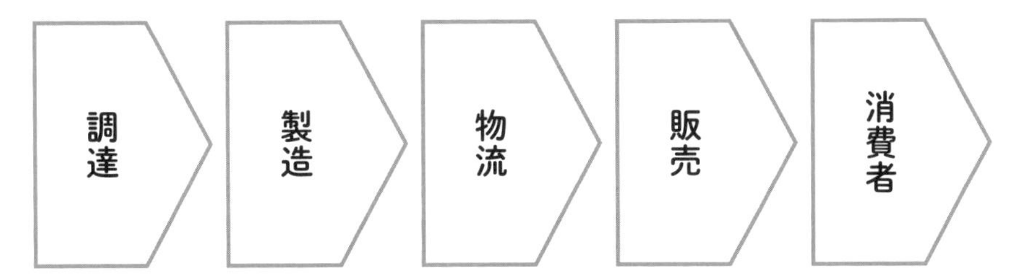

目的　原材料から消費者に届くまでに関係する
自社とサプライヤーの事業活動を把握する

バリューチェーン

価値を生み出す事業プロセス

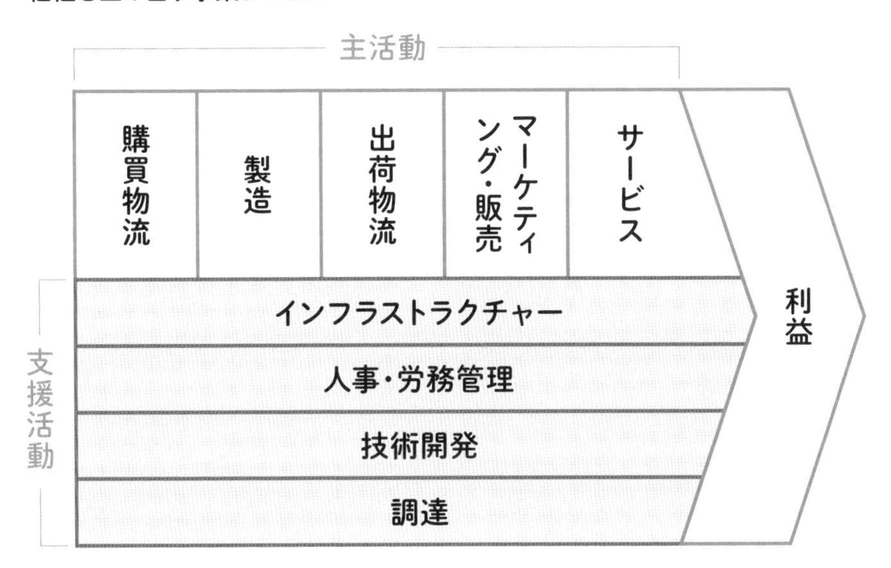

目的　（自社あるいは一連の）
事業活動の全体像を把握する

SECTION 07

企業が取引先の行動にも正しい行動を求める時代

取引先選定の重要な基準になりつつあるSDGs

サプライチェーン上で問題が起これば、場合によっては会社の存亡にかかわるほどの大きなピンチを招くこともあり得ます。そんな事態に陥らないために、サプライヤーにもSDGsに取り組むことを求める大企業が増えています。

サプライチェーン上のリスクにまで目を配る

企業はサプライチェーン上で起こる環境破壊や人権侵害を自分ごとのリスクとして考えるべきです。そのリスクの対応を怠れば、不買運動など消費者離れを起こしたり、株価下落などの大きな代償を払うことに直結します。

1996年6月、米雑誌『ライフ』に、パキスタンの子どもが有名スポーツブランド・ナイキのサッカーボールの針仕事をする写真が掲載され、彼らが1日11時間に及ぶ作業で3～4ドルの賃金しか受け取っていないことが明るみになりました。

当初、ナイキは下請け業者に責任転嫁しました。しかし、消費者はその態度を許しませんでした。これをきっかけに世界的な不買運動が起こったのです。結局、同社は謝罪に追い込まれました。

SDGsへの注目が高まるなかで、サプライチェーン上に潜むリスクに対応する必要性が増しています。「下請け会社がやったことだから」は言い訳にはなりません。

たとえ、ナイキが環境破壊や人権侵害に直接関与していなくても、消費者は「ナイキは悪くない」と思いません。「なぜ子どもたちを働かせるような下請け業者を使うんだ！」と考えるはずです。サッカーボールがナイキというブランドで販売されているわけですから、**「下請け会社がやったこと」ではなく、「自分ごと」として考え、下請け業者・サプライヤーなどに協力を求めながら、SDGsに反しないサプライチェーンづくりをすることがリスクマネジメントとして不可決になっているのです。**

サプライヤー
メーカーにとっての仕入先、供給元、納品業者などのこと。

いまだに児童労働に関与する企業はなくなっていない

2019年9月に撮影されたパキスタンのラーヴィー川の岸から砂を運ぶ女児たち。かつて中国は安価な労働力を強みに「世界の工場」と言われたが、経済成長によって中国の賃金が上昇すると、コストをできるだけ抑えたい企業はより安価な労働力を求めてパキスタン、インド、バングラデシュなどの南アジアやアフリカに製造拠点を移すケースが増えた。ILO（国際労働機関）が2017年に公表したデータによると、世界には依然1億5,200万人の児童労働者がいるという。

SDGsに対応しなければ、仕事はなくなる

逆に、大企業の下請けを担う**中小企業の立場から考えてみると、大企業からサプライチェーン上のリスクとみなされないようにする必要が高まっている**ということです。

労働者に不当な労働を強制したり、不法投棄をするような、いわゆるブラック企業は、大企業にとってリスク要因でしかありません。今後はサプライチェーンから排除される、つまり仕事を受注することが難しくなっていくということです。

P.108ではサントリーグループ、P.110ではリコーグループの例を紹介しますが、大企業は取引先に正しく行動すること求めています。従来は、「価格が安い」「品質が良い」などといった理由で仕事を受注できても、現在では「エシカルである」という前提がなければ、たとえ、低価格、高品質であっても、ライバル企業と戦う土俵にも上がれないのです。

A M Syed / Shutterstock.com

SECTION 08

大企業はサプライヤーに何を求めているのか？①

サントリーグループの「サステナブル調達基本方針」を見る

日本を代表する企業であるサントリーグループは、「サステナブル調達基本方針」を公表して、原材料などを供給するサプライヤーに対して、人権・労働基準・環境などの社会的責任にも配慮した調達活動に対応することを求めています。

ISO20400
ISO26000に含まれている内容の実践・普及をサプライチェーン全体を通じて支援するための持続可能な調達に関する国際規格。

ISO26000
官民両セクターの社会的責任に関する国際規定。ガバナンス、人権、労働慣行、環境、公正な事業慣行、消費者課題、コミュニティへの参加及びコミュニティの発展の7分野における社会的責任の最良事例なども取り入れられているため、組織が行動するためのツールとして利用される。

Sedex
サプライチェーンにおける課題の報告からその管理までのプロセスをカバーする世界最大級のサプライチェーン管理システム。180カ国・地域の6万以上の企業・団体などが会員になっている。

大企業はサプライヤーに「サステナブル」を求める

2017年4月、国際標準化機構（ISO）によって持続可能な調達に関する世界初の国際規格「ISO20400」が発行されました。2010年11月に発行されたISO26000（社会的責任規格）をベースに、アカウンタビリティ（説明責任）、透明性、人権尊重、倫理行動といった企業や団体にとっての持続可能な調達の原則を定めたもので、サプライチェーン全体に持続可能な調達を展開するための規格です。

こうした世界的な動きを受けて、日本でもサプライチェーン全体を通した長期目標を掲げる企業が増えています。

SDGsに積極的に取り組むことで知られるサントリーグループは、国連でSDGsが策定される2015年よりも早い2011年に「サステナブル調達基本方針（以下、基本方針）」を掲げ、人権や労働基準、環境などに配慮した調達活動を推進してきました。具体的には、すべての新規サプライヤーに対して基本方針に基づいたスクリーニングを実施するほか、Sedexへの加盟などの要請を進めています。

2020年5月時点で、グローバルで713のサプライヤーの製造場がサントリーグループとSedexでリンクしており、原料・包材の購買金額の70%以上をSedex会員取引先から購入しているといいます。そのほかにも2014年から児童労働・強制労働などの人権侵害がないかを確認するため、ビールの主要原料である麦芽・ホップの生産者など、海外の調達先を訪問してヒアリン

サントリーグループのサステナブル調達基本方針

1. 法令遵守と国際行動規範の尊重
各国の法令を遵守し、国際行動規範を尊重した公正・公平な調達活動を推進します。
(事業の誠実性／贈収賄禁止／公正な競争／不適切な贈答品・接待の禁止／懸念事項の報告)

2.人権・労働・安全衛生への配慮
基本的人権を尊重し、労働環境や安全衛生に配慮した調達活動を推進します。
(児童労働の禁止／強制労働の禁止／労働時間の適正管理／適切な賃金の支払い及び福利厚生／差別の禁止／虐待・ハラスメントの禁止／結社および団体交渉の自由の尊重／救済へのアクセス／職場における健康および安全性の確保)

3. 品質・安全性の確保
「サントリー品質方針」に準拠し、品質・コスト・供給の最適な水準に基づく高い品質と安全性の確保をめざした調達活動を推進します。
(商品の品質保証／商品の安全性確保および規制の遵守／適切な輸送／信頼性の高い商品情報の提供／危機管理及び安定供給)

4. 地球環境への配慮
「サントリーグループ環境基本方針」に準拠し、地球環境に配慮した調達活動を推進します。
(環境マネジメントシステムの運用／廃棄物管理／水の管理／効率的なエネルギーの使用／環境汚染の防止／生物多様性の尊重)

5. 情報セキュリティの保持
調達取引に関わる機密情報および個人情報は厳格に管理します。
(コンピューターネットワークへの脅威に対する防御／秘密保持・個人情報保護)

6. 社会との共生
社会との共生に向けた社会貢献への取り組みを推進します。
(社会および地域コミュニティへの貢献／持続可能な活動の奨励)

※(　)内は、「サントリーグループ・サプライヤーガイドライン」に示された項目
出所：サントリーホールディングスホームページ(https://www.suntory.co.jp/)

グを行っています。

サントリーグループのように、SDGsの達成に明らかに逆行するようなサプライヤーを自社のサプライチェーンから排除する動きを強めている大企業は増えています。いまや、**製品・サービスの生産・供給に関わるすべての企業が、人権や労働基準、環境などに対して誠実な対応が求められるといっても過言ではありません。中小企業も「SDGsは関係ない」とは言えなくなってきているのです。**

SECTION 09

大企業はサプライヤーに何を求めているのか？②

リコーグループの「サプライヤー行動規範」を見る

サプライヤーに対して、日々いかに判断し行動すべきかの基準を示す行動規範を明文化する大企業が増えています。事務機器などを製造するリコーグループの行動規範を見ながら、サプライヤーの対応について考えていきます。

サプライヤーはエシカルな行動が求められる

グローバル化が進展したことで、企業のサプライチェーンは長く、複雑になっていますが、サプライチェーン上の問題に対する社会の監視の目は厳しくなっています。

こうした状況のなか、サプライヤーに対してエシカルな行動を求める大企業が増えています。サプライヤーの協力なくして、サプライチェーン上のさまざまな問題を取り除くことができないからです。

コピー機やプリンターなどの事務機器などを製造をするリコーグループは、グループ全体で世界の約1,700社のサプライヤーとの取引があり、調達金額は年3,500億円（2019年3月現在）になるといいます。同社は、基本的な考え方を「リコーグループサプライヤー行動規範」にまとめ、サプライヤーに人権、環境、社会などに配慮することを求め、サプライチェーン全体で歩調を合わせた事業活動を行うこと目指しています。右ページにあるように、その内容は多岐にわたっています。

今後、**大企業を中心にサプライヤーに行動規範を示すことが当たり前になるはずです。サプライヤー側は、複数の取引先の行動規範に対応できる体制づくりを進めておく必要があります。**大企業が示した行動規範に応じられなければ、高品質・低価格の部品をつくっていたとしても取引対象から外され、企業の生態系ともいうべきサプライチェーンから淘汰される可能性が高まっているのです。

リコーグループ サプライヤー行動規範

①お客様の立場に立った商品の提供
製品安全性の確保／品質保証システム

②自由な競争および公正な取引
競争制限的行為の禁止／優越的地位の濫用の禁止

③企業秘密の管理
機密情報・顧客情報・第三者情報の漏洩防止／個人情報の漏洩防止／コンピュータ・ネットワーク上の脅威に対する防御

④接待、贈答などの制限

⑤適正な輸出入管理

⑥知的財産の保護と活用

⑦反社会的行為への関与の禁止

⑧責任ある鉱物調達

⑨会社資産の保護
不正行為の予防・早期発見／調達リスク管理

⑩地球環境の尊重
製品に含有する化学物質の管理／製造工程で用いる化学物質の管理／環境マネジメントシステム／環境への影響の最小化（大気・水質・土壌など）／許認可および届け出／資源・エネルギーの有効活用（3R）／温室効果ガスの排出量削減／廃棄物削減／環境保全への取り組み状況の開示／生物多様性の保全

⑪基本的人権の尊重
雇用の自主性／非人道的な扱いの禁止／児童労働の禁止／差別の禁止／適切な賃金／労働時間／結社の自由／機械装置の安全対策／職場の安全／職場の衛生／労働災害・労働疾病／緊急時の対応／身体的負荷のかかる作業への配慮／施設の安全性／従業員の健康管理

⑫社会貢献活動の実践

⑬社会との相互理解
正確な製品・サービス情報の提供／情報公開

出所：リコー「リコーグループ企業行動規範」

SECTION 10

中小企業こそSDGsに取り組めばチャンスになる

SDGsは大企業だけが必要なものではない

上場企業をはじめとする大企業のほとんどはすでにSDGsを意識した経営に取り組み始めています。では、日本の企業の99.7%を占めるといわれる中小企業のSDGsへの対応はどうなっているのでしょうか。

遅れている中小企業のSDGsへの対応

関東経済産業局と日本立地センターが2018年12月に発表した「中小企業のSDGs認知度・実態等調査」によると、中小企業経営者にSDGsの認知度を聞いた設問では、「SDGsについてまったく知らない」が84.2%、「聞いたことがあるが、内容は詳しく知らない」が8.0%でした。

2018年以降、急速にSDGsの認知度が高まっているものの、依然、**大企業に比べて中小企業ではSDGsについて理解が進んでいない**状況に変わりありません。この状況を逆手にとってSDGsに取り組めば、「中小企業なのにSDGsに取り組んでいる」と好印象を与えることができます。

これまで説明したように、大企業は下請け業者に環境や人権に配慮して事業を行うことを求めるようになっており、それができていなければ、新たに取引を始めることがないだけでなく、すでに取引がある場合でも打ち切ったりするようになっています。SDGsに取り組めば、こうしたリスクを低減できます。

将来的にはさまざまな分野で「SDGsへ対応していること」が取引条件になるといわれていますから、中小企業もいずれ否が応でもSDGsに取り組まざるを得なくなるでしょう。そうであれば、早く取り組むことに越したことはありません。

中小企業の理解が進んでいない今だからこそ、ビジネス機会と捉えてSDGsに取り組めば、将来のリスクを大幅に低減させることにつながるだけでなく、さまざまなメリットが期待できます。

中小企業のSDGsの認知度・対応状況

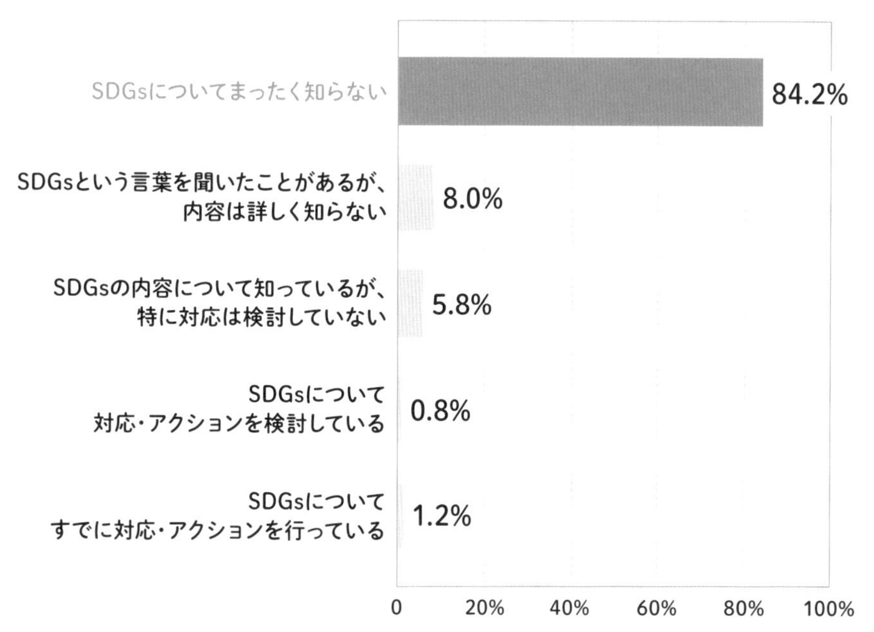

出所：関東経済産業局、日本立地センター「中小企業のSDGs認知度・実態等調査」

取引先から環境面や社会面の要求事項が厳しくなりつつある

《取引先の動向の変化（単一回答）》

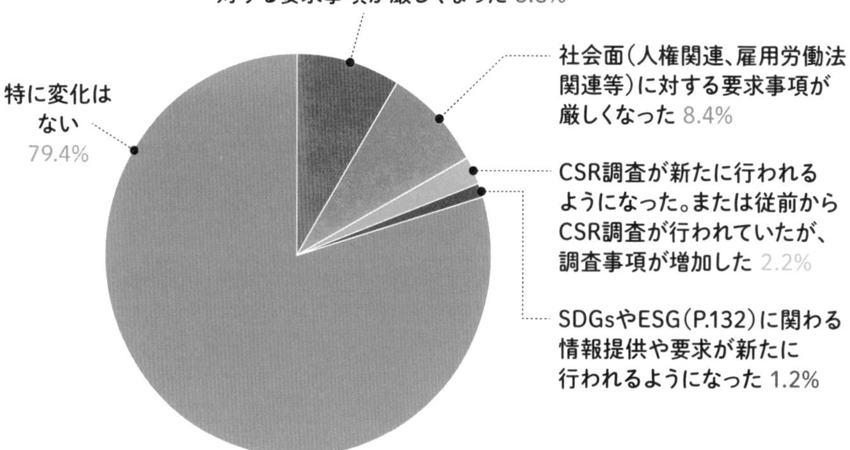

出所：関東経済産業局、日本立地センター「中小企業のSDGs認知度・実態等調査」

SECTION 11

SDGsに取り組むと、さまざまなメリットがある

SDGsの活用をする4つのメリット

SDGs 達成に向けた取り組みを実行に移している中小企業はまだそれほど多くはありません。SDGs に取り組むことで企業にはどんなメリットがあるのかを知れば、SDGs に取り組む意欲につながるのではないでしょうか。

メリットだけでなく、デメリットも考える

環境省は、経営と社員の距離が近い中小企業のほうが大企業よりも SDGs の達成に向けて取り組みやすいと指摘し、SDGs を活用することで、企業に 4 つのメリットがあるとしています。

- **企業イメージの向上**
- **社会の課題への対応**
- **生存戦略になる**
- **新たな事業機会の創出**

大手広告代理店・電通も、企業の経営層や広告宣伝部門、広告会社向けに発表した「SDGs Communication Guide」で、SDGs に取り組む 4 つのメリットを提示しています。

- **ステークホルダーとの関係性の改善と発展**
- **SDGs を共通言語に、さまざまな主体との協働が実現**
- **社会課題解決は巨大なビジネスチャンス**
- **資金調達に益する ESG 投融資（P.136）**

ともに 4 つのメリットを挙げています。その内容はまったく同じではありませんが、SDGs が多くのメリットをもたらすということは同じです。SDGs に取り組むメリットだけでなく、取り組まないデメリットについても考える必要が増しています。

環境省が示したSDGs活用の4つのメリット

企業イメージの向上

SDGsへの取り組みをアピールすることで、多くの人に「この会社は信用できる」「この会社で働いてみたい」という印象を与え、より多様性に富んだ人材確保にもつながる。

社会の課題への対応

SDGsには社会が抱えているさまざまな課題が網羅されている。これらの課題への対応は、経営リスクの回避とともに社会への貢献や地域での信頼獲得にもつながる。

生存戦略になる

取引先のニーズの変化や新興国の台頭など、企業の生存競争は激化している。今後は、SDGsへの対応がビジネスにおける取引条件になる可能性もあり、持続可能な経営を行う戦略として活用できる。

新たな事業機会の創出

SDGsに取り組むことをきっかけに、地域との連携、新しい取引先や事業パートナーの獲得、新たな事業の創出など、今までになかったイノベーションやパートナーシップを生むことにつながる。

出所：環境省「すべての企業が持続的に発展するために－持続可能な開発目標（SDGs）活用ガイド－」より作成

大手広告代理店が示したSDGs活用の4つのメリット

ステークホルダーとの関係性の改善と発展

SDGsへの取り組みは、企業のステークホルダーとの関係性を発展させる。企業価値の向上につながるとともに、さまざまな潜在的な社会的リスクを軽減する。

SDGsを共通言語にさまざまな主体との協働が実現

SDGsは全世界・全人類共通の目標・枠組みであるため、社会的課題に取り組む企業と、国や地方自治体、地域、NPO法人などをパートナーとして結び付け、協働の機会を生み出す。

社会課題解決は巨大なビジネスチャンス

「年間12兆ドルの経済価値が生まれる」とされる（P.98）ように、SDGsには巨大なビジネスチャンスになるポテンシャルがある。

資金調達に益するESG投融資

第5章で詳しく説明するように、投資家や金融機関は企業の取り組みを見ている。SDGsに取り組まない企業より、取り組んでいる企業のほうが資金調達が有利になる。

出所：電通「SDGs Communication Guide」より作成

SECTION 12

どうやって自社の事業にSDGsを組み込めばいいのか？①

PDCAサイクルで SDGsを導入する

SDGsに取り組むことのメリット、取り組まないことのデメリットを理解しても、問題になるのは、いかにSDGsの取り組みを自社の事業に組み込むかです。ここでは、中小企業を念頭に実際にどのようにSDGsを経営に組み込んでいくかを考えていきます。

すでに取り組めていることもあるかもしれない

SDGsに取り組もうと思ってもどうすればいいか戸惑う中小企業は少なくありません。**最初に考えることは、「SDGsに取り組む」と決めること**です。

経営者がSDGsに関心を持っていれば、トップダウンで決定されるかもしれません。経営者が関心がなければ、社員から「SDGsに取り組むメリット、取り組まないデメリット」を伝えるなどして働きかける必要があります。

そして、大切なことは「これからSDGsに取り組もう」と考えるだけでなく、**自社の事業が「SDGsに貢献していることがないか」を探してみる**ことです。すでにSDGsに貢献していることがあるはずだからです。

たとえば、自分が勤める会社の人事制度に男女格差がなければ、目標⑤「ジェンダー平等」、目標⑧「働きがいも 経済成長も」に貢献できていると考えることができます。

「これから取り組むぞ」と気負わなくても、すでに貢献していることがあるかもしれません。そう考えれば、SDGsを始める心理的ハードルも下がるはずです。

できることからSDGsに取り組んでいくうちに、「自分たちだからこそできる」ことが見えてくるかもしれませんし、新たな気づきが生まれてくるかもしれません。

それをPDCAに当てはめながら、事業に組み込んで実践していけばいいのです。

PDCA
Plan（着手）→Do（検討と実施）→Check（確認と評価）→Act（見直し）のサイクルを繰り返し行うことで、継続的な業務の改善を促す方法のこと。

PDCAサイクルでSDGsに取り組む手順

意思決定

手順1：話し合いと考え方の共有

1）企業理念の再確認と将来ビジョンの共有
2）経営者の理解と意思決定
3）担当者（キーパーソン）の決定とチームの結成

▶詳しくは P.118

PLAN〈着手〉

手順2：自社の活動内容の棚卸しを行い、SDGsと紐付けて説明できるか考える

1）棚卸しの進め方
2）事業・活動の環境や地域社会との関係の整理
3）SDGsのゴール・ターゲットとの紐付け

▶詳しくは P.120

DO〈検討と実施〉

手順3：何に取り組むか検討し、目的、内容、ゴール、担当部署を決める
→行動計画を作成し、社内での理解と協力を得る

1）取り組みの動機と目的
2）取り組み方
3）資金調達について考える

▶詳しくは P.122

CHECK〈確認と評価〉

手順4：取り組みを実施し、その結果を評価する

1）取り組み経過の記録
2）取り組み結果の評価とレポート作成

▶詳しくは P.124

ACT〈見直し〉

手順5：一連の取り組みを整理し、外部への発信にも取り組んでみる
→評価結果を受けて、次の取り組みを展開する

1）外部への発信
2）次の取り組みへの展開

▶詳しくは P.126

SECTION 13

どうやって自社の事業にSDGsを組み込めばいいのか？②

SDGsに取り組む意思決定を行う

SDGsを企業活動に導入するには、まず企業としてSDGsに取り組むことを決めなければいけません。SDGsは全社的な取り組みとして行う必要があるため、経営者の理解を得て、SDGsに取り組むという社内的なコンセンサスをつくる必要あります。

①企業理念の再確認と将来のビジョンを共有する

経営理念
経営者の経営的信条を表すもので、経営を行ううえで大切にする根本的な考え方のこと。

企業理念は、経営方針によって変わる経営理念よりも上位にある、企業として「最も大切にしなければいけない考え」です。

SDGsに取り組む前に、企業理念を見ることで目指すべき方向性、各目標とのつながりが見えてくるかもしれません。企業理念が従業員に浸透していないケースは少なくありませんから、企業理念を浸透させる機会にもできます。

そして、SDGsの期限である2030年の自社の将来像をできるだけ具体化することも重要です。**従業員が共有できるイメージを持てれば、それぞれの従業員がバックキャスティング思考で、今やるべき取り組みまでブレイクダウンしやすくなります。**

②経営者の理解と意思決定

SDGsへの取り組みを進めるには、社長など経営トップの関与が重要です。たとえ、環境・社会課題を解決する優れた事業アイデアがあっても、経営者の同意なしでは推進力は得られず、事業化までいたりません。

SDGsを事業に組み込むにあたっては経営トップには、「従来にとらわれない発想」「短期的利益だけにとらわれない長期的な時間軸でビジネスを考える視野」が求められます。

もし自分がトップであれば率先してSDGsに取り組むためのリーダーシップを発揮します。そうでない場合は、トップが無関心なら取り組む理由や意義などを説明をしながら必要性を訴えて

➡ 企業理念とSDGsを関連付けて考える

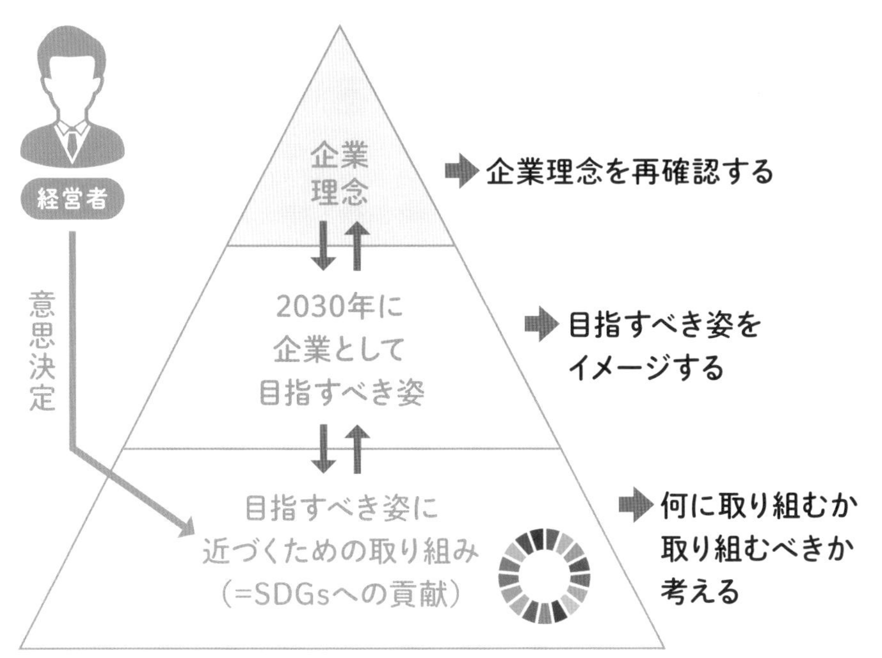

トップの理解を促し、会社としてSDGsに取り組む意思決定をしてもらいます。

③担当者(キーパーソン)の決定とチームの結成

SDGsに取り組むことが決まったら、担当者の選任、プロジェクトチーム結成など、自社に合ったかたちでSDGsを推進する実働部隊をつくります。社内外での活動に柔軟に対応でき、リーダーシップを発揮できる人を選ぶと推進力になります。

最初は手探りです。**すでに取り組みを始めている他社から話を聞ければ大きな助けになります。**

たとえば、グローバル・コンパクト・ネットワーク・ジャパン(GCNJ)では支援ツールや事例集の提供のほか、分科会活動を行っています。こうした場に参加すれば、他社の生の声を聞けますし、大きな刺激になります。それだけでなく、ビジネスにおける協業の機会など副次的な効果も期待できます。

グローバル・コンパクト・ネットワーク・ジャパン(GCNJ)
国連グローバル・コンパクト(P.40、P.50)の日本でのローカルネットワークとして2003年12月に発足した。事務局は国連広報センター(UNIC)に置かれている。

SECTION 14

どうやって自社の事業にSDGsを組み込めばいいのか？③

【PLAN】取り組みに着手する

会社の規模が大きくなればなるほど、社長や従業員でも自社の全体像を把握している人は少なくなるものです。SDGsを始める前に自社の事業内容やさまざまな活動を俯瞰的に把握する必要があります。

①自社の事業・活動の内容を整理する

まずは、自社が現在どのような取り組みを行っているかを整理して現状を把握します。客観的に見るために、第三者からの意見を聞くのもひとつの方法です。どのような事業を行っているかはもちろんのこと、社会貢献活動などについてもヌケモレなく調べ上げます。その際に、会社案内や業務・製品を紹介する資料、環境レポートなどがあれば助けになります。同時にできるだけ多くの部署・人とコミュニケーションをとって、ヌケモレがないかをチェックしてもらいます。社内委員会や会議などで趣旨を説明し、協力をお願いするのもひとつの方法です。

②事業・活動と環境や地域社会との関係の整理

リストアップした自社の事業・活動の内容を踏まえて、それらがもたらす環境や地域社会への効果・影響を整理します。このとき、右ページの早見表のように各取り組みに関連するキーワードを挙げておくと整理しやすくなります。

③SDGsのゴール・ターゲットとの紐付け

次に、環境配慮・地域社会との関係の整理で挙げられたキーワードをもとに、次のページの早見表などを参考にしながら、自社の事業・活動がSDGsのどの目標・ターゲットに貢献するのかを紐付けていきます。

改めて**整理することで、SDGsと自社の関連性を理解できる**

SDGsと取り組みの紐づけの一例

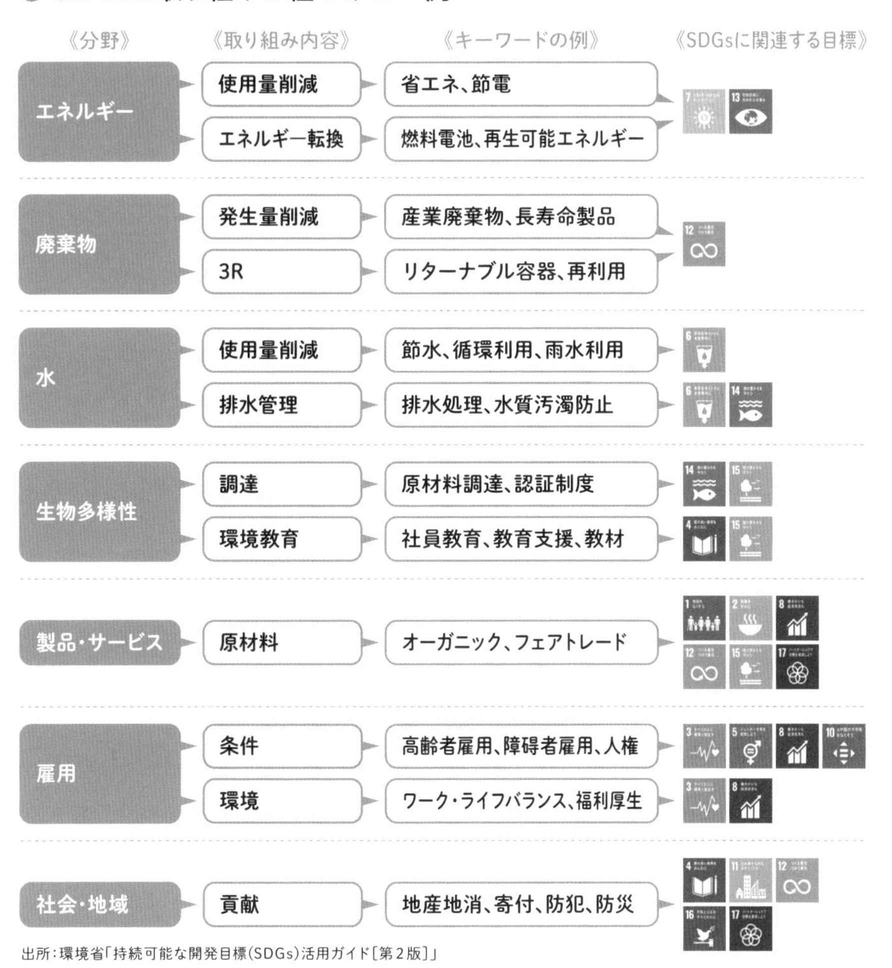

出所：環境省「持続可能な開発目標（SDGs）活用ガイド［第２版］」

だけでなく、将来、何をすべきかが見えてくるはずです。

たとえば、フェアトレードに取り組んでいなければ、今後、「フェアトレードに取り組む」ことがビジネスチャンス、「取り組まないこと」は経営リスクとして捉えることができますし、自社の有給消化率が低く、ワーク・ライフ・バランスを改善するべきと考えるのであれば、目標③、目標⑧の達成に貢献できていないことを再認識できたりします。

この結果を分析することで将来に活かすことができます。

ワーク・ライフ・バランス
仕事と生活との調和を図ること。

SECTION 15

どうやって自社の事業にSDGsを組み込めばいいのか？④

【DO】具体的な取り組みを検討する

SDGsに取り組むうえで、「何から取り組めばよいのかわからない」状況にある企業も少なくありません。担当者が取り組みに費やせる予算と時間には限りがあるので、取り組みにどれだけ価値が見出せるかも重要です。

①取り組みの動機と目的をはっきりさせる

右ページの表のように、**なぜSDGsに取り組むのか（動機）、何のために取り組むのか（目的）、SDGsをどう使うのかをはっきりさせること**は重要です。メリットがあることを説明できるものであれば、社内の同意も得られやすいでしょう。

取り組みを始めたあとに、その取り組みの進捗を評価をしやすくするための準備も必要です。たとえば、全社で節水に取り組もうとしているなら過去の水道使用量のデータを用意したり、ワーク・ライフ・バランスについて社員の満足度を測定していくなら事前に社員へのアンケート調査を行って現状把握します。定量的なデータがあれば、社内に具体的な目標を示しやすく、進捗状況もわかりやすく示すことができます。

当初から複数の目標に取り組むのが理想ですが、まずはある程度、目標を絞ったほうが現実的かもしれません。たとえば、自社の事業の延長線上で達成に貢献できる目標や、すでに取り組んでいるCSR活動に関連する目標なら負担は多くないでしょう。

同時に、「いつまでに取り組みを開始するか」を決め、開始までのスケジュールを立てます。

②本業にSDGsに取り入れることを考える

SDGsを本業に取り入れるには、まず自社の製品・サービスの製造プロセスの改善を考えることです。たとえば、省エネやCO_2の排出量の低減などの取り組みは、経費削減効果などの目

SDGsの使い方と取り組みの動機・目的（例）

目的	動機	SDGsの使い方
コスト削減	燃料費や電気代の高騰	従業員の省エネ意識をSDGsを活用して改善。活動や製造方法の改善などをしてコストを削減する
経営計画の策定	顧客の幅が狭く、売上も縮小	SDGsに示された目標から2030年の世の中を想像し、何が必要か従業員みんなで考えてみる
新製品・新サービスの開発	取引先からの要請	「持続可能性」を組み込んだ製品やサービスにより付加価値をつける
新規顧客の開拓	売上アップ	SDGsに則した調達基準を設定している企業などに営業する
就労環境の改善	働き方改革への対応	目標⑤や目標⑧を参考に新しく制度やしくみを考える
女性の活躍	優秀な人材確保	目標④を参考に家庭や育児と仕事を両立できる制度やしくみを考え、女性を積極的に採用する

出所：持続可能な開発目標（SDGs）推進本部「持続可能な開発目標（SDGs）実施指針」

に見えるメリットがあり、定量データで進捗や結果を計測しやすいため着手しやすいといえます。新しい製品・サービスを開発することも考えられますが、開発期間が長期に及ぶため、より長い時間を必要とします。こうした**SDGsの達成に貢献する取り組みが利益を生むようになれば、それが新たな取り組みの源泉になるという好循環をつくることができます。**

③資金調達を考える

最初から大規模な投資が必要な取り組みではなく、限られた経営資源の範囲内で続られそうな取り組みから始めるのが現実的ですが、資金が必要になる場合もあるかもしれません。昨今は、**SDGsに貢献する取り組みに対する補助金や助成金、行政の支援制度、金融機関からの融資商品などが増えています。**地元の自治体や金融機関に相談してもいいかもしれません。また、クラウド・ファンディングを利用するのもひとつの方法です。

クラウド・ファンディング
インターネットを通じて、不特定多数の人から資金を集める仕組み。新しい資金調達の方法として注目されている。

SECTION 16

どうやって自社の事業にSDGsを組み込めばいいのか？⑤

【CHECK】取り組みの状況の確認と評価をする

今後、消費者をはじめとするステークホルダーが企業や商品を選ぶ際に、これまで以上に「SDGsへの取り組み」を考慮するようになるはずですから、消費者などに積極的な姿勢を伝え、取り組みに関する情報を公開する重要性はますます増すはずです。

①取り組みの過程の記録しておく

取り組みの過程で関係する資料や写真を残しておけば、実施前と実施後の変化をモニタリングしやすくなり、取り組みの効果を評価する際にも役立ちます。数字で表せるわかりやすい指標があれば、進捗が把握しやすくなりますし、未来に向けて連続性をもった評価も可能になります。

じつは**各目標・各ターゲットの進捗状況を正しく測定するためのデータ不足は、SDGsが抱える大きな課題**になっています。SDGsの各目標の実施状況をモニターする指標のなかには、基準があってもデータ収集が規則的に行われていなかったり、基準すらないものもあるのが現状です。その意味では**自社の取り組みの進捗を測定できるデータを収集する体制を整備して、データを収集することは重要です。**

②取り組み結果を評価し、報告書をつくる

環境や社会の問題に対して企業の関与が求められるなか、自社の取り組みを発信する必要性は増しており、大企業を中心にCSRレポートなどで非財務データを公表するのがトレンドです。大事なことはその際に、**自社のSDGsの取り組みの現状や進捗状況をステークホルダーにありのまま伝える姿勢を堅持することです。**それはステークホルダーからの信頼につながるだけでなく、社内の理解促進にもつながります。もし「実態よりよく見せよう」とすれば、SDGsウォッシュ（P.58）になるので要注意です。

➡ 報告書(レポート)をつくる際に参考になるガイドライン

ガイドライン	発行者	内容
ISO26000	ISO	2010年11月発行の企業など組織の社会的責任の実施に関する手引きとしてISOが制定した国際規格。「組織統治」「人権」「労働慣行」「環境」「公正な事業慣行」「消費者課題」「コミュニティーへの参画と発展」の7つの中核主題を掲げている
GRIサステナビリティ・レポーティング・ガイドライン	GRI	GRIが発行する環境報告書やCSRレポートを作成する際に参考にする指標として用いられる国際的なガイドライン
GRIスタンダード	GRI	GRIが「GRIサステナビリティ・レポーティング・ガイドライン」を衣替えし、2016年に発行した、組織が経済、環境、社会に与えるインパクトを一般に報告する際のスタンダード。「共通スタンダード」「経済に関するスタンダード 」「環境に関するスタンダード」「社会に関するスタンダード」などで構成される
国連グローバル・コンパクト4分野10原則	UNGC	「人権」「労働」「環境」「腐敗防止」の4分野の10原則。グローバル・コンパクトに署名していない企業でも、10原則に沿って報告書を作成するなど参考にできる
環境報告ガイドライン2018年版	環境省	環境省が環境報告を行う事業者ための実務的な手引き。先進的な事業者だけでなく、中小企業なども利用しやすいようにコンパクトな内容で構成されている
環境報告のための解説書	環境省	環境報告を行いやすくするために、「環境報告ガイドライン」の理解を助け、報告書を作成する際の手順や難解な記載事項などをまとめた解説書

そもそも5つの主要原則(P.26)にも「透明性と説明責任」がありますし、SDGsの目標⑫「つくる責任 つかう責任」のターゲット12.6は、「持続可能な取り組みを導入し、持続可能性に関する情報を定期報告に盛り込むよう奨励する。」(P.213)となっています。内外に透明性のある報告をすることは必ずやるべきですし、それ自体がSDGsの達成に貢献します。

なお、内外に自社の活動を報告するためのレポートをつくる際は、「ISO26000」、「GRIスタンダード」「国連グローバル・コンパクト4分野10原則(P.50)」、環境省の「環境報告ガイドライン」などが参考になります。

同時に、他の企業がどのような報告書をつくっているのか参考にしたり、外部の専門家などにアドバイスを求めるのもひとつの手です。紋切型の報告書にするのではなく、自社ならでは独自性を出せれば、より効果的に伝えられるはずです。

GRI
グローバル・レポーティング・イニシアティブ(Global Reporting Initiativeの略。国際的なガイドラインづくりを使命とするNGOでUNEP(国連環境計画)の公認団体。オランダ・アムステルダムに本部を置く。

SECTION 17

どうやって自社の事業にSDGsを組み込めばいいのか？⑥

【ACT】取り組みの見直しをする

取り組んできたことをブラッシュアップしていくことで、よりよい取り組みに発展させていくことは重要です。目標⑰が「パートナーシップで目標を達成しよう」であることからもわかるように、外部に情報を発信し、外部と連携することを意識すると世界は広がるはずです。

①内外への発信をする

SDGsの達成に向け、進捗を社内外に報告することは重要です。その際には**「簡潔（Concise）」「一貫性（Consistent）」「現行・最新（Current）」「比較可能（Comparable）」**の「４つのC」を心がけます。効果的な情報発信は、さまざまなステークホルダーとの信頼感醸成に役立ちます。

外部への報告をすることは、社内の緊張感を高め、「よりよい報告をするために」という気持ちを強くします。それがSDGsの取り組みの改善、SDGsの達成に貢献する製品・サービスを生み出すことにもつながります。同時にESG（P.132）への配慮を周知することで投資を呼び込む効果も期待できます。

内部への周知も重要です。従業員の意識を高めるだけでなく、経営陣および取締役会に対して報告することで、SDGs戦略を自社の事業に統合する大きな後押しになるからです。

内外への報告をコミュニケーション手段として使いこなすことで、SDGsに対する関心を高め、モチベーション向上と創造性の喚起ができれば、SDGsと経営の結びつきをさらに強くできます。

②次の取り組みへの展開

SDGsに取り組んだ結果、これまでに気づかなかった目標やターゲットとのつながりを見出せる場合があります。その目標やターゲットにフォーカスした新しい取り組みに挑戦をしてもいいでしょう。

効果的な情報発信するための「4つのC」

簡潔 Concise

優先的に取り組む最も重要な情報に焦点を当て、乱雑さと情報過多を避けて報告する。

一貫性 Consistent

時間を追ってパフォーマンスを評価できる報告にすることが重要。そうでなければ、報告されたデータから得られる本質的意味を理解できず、マネジメントに活用できなくなってしまう。

現行・最新 Current

過去の出来事を示すのではなく、現在の事業や影響、ビジネス機会の可能性についての洞察を与えるようにしなければ意味がない。

比較可能 Comparable

同業者と比較してパフォーマンスを評価できるようにする。そうすることで、企業が影響を追跡・評価し、パフォーマンスを改善するための意思決定を行えるようにする。

出所：GRI、UNGC「SDGsを企業報告に統合するための実践ガイド」を元に作成

全社にSDGsに対する考え方が浸透すれば、営業や商品開発などの業務にSDGsを組み込むアイデアが社内から自発的に生まれやすくなります。そのアイデアをPDCAのサイクルで回すことができるようになれば、より大きな力になるはずです。

③他主体とのパートナーシップ

情報を出すところには情報が集まるものです。**SDGsに積極的な姿勢を外部に周知できれば、同じような考え方をするさまざまな企業、自治体、NPO法人などとのパートナーシップにつながる**といった効果も期待できます。

日本の企業の99%は中小企業で、その多くは地域社会との結びつきなくして経営は成り立ちません。とくに少子高齢化によって活力を取り戻すことが課題になる地方では、地域内でのパートナーシップはとくに重要です。連携によって1社ではできないことができるようになれば、世界は大きく広がるはずです。

SECTION 18

迷ったらSDGsに照らし合わせる

企業にとってSDGsは、経営のチェックリストになる

企業は環境、社会、ガバナンスなど目を配らなければいけないことが増えています。SDGsを目標としてだけでなく、自社の取り組みが正しいものか、そうでないかを確認するための「チェックリスト」として使うこともできます。

SDGsは企業の活動のチェックリストになる

企業の環境や人権に対する取り組みが求められるようになるなかで、企業はさまざまなことを配慮しなければいけなくなっています。そのため、自社の事業活動が複数の観点においてきちんと社会の要請に応えているかをチェック、セルフアセスメントを行う複雑さは増しています。

セルフアセスメント
自己評価をすること。

そのような悩みを抱えた企業にとってSDGsはとても便利なツールです。SDGsは、経済、環境、社会のあらゆる社会的ニーズを盛り込んだ17の目標と169のターゲットから成り立つ包括的な目標です。換言すれば、企業がやるべきことを示した具体的なガイドラインといえます。

SDGsをチェックリストにして、自社の事業活動がSDGsの目標・ターゲットが目指す方向性から逸脱していないかをチェックすれば、社会ニーズに沿った経営から逸脱していないかを確認できるということです。

もし自社の事業がSDGsが目指す目標・ターゲットの達成と相反していれば、何かしらの修正を検討しなければなりません。

サプライチェーン、バリューチェーン全体を見渡す

サプライチェーン、バリューチェーンを含めてSDGsをチェックリストにして点検しなければ、ヌケモレなく、チェックしたことにはなりません。

その際も、世界共通の「SDGs」を用いれば、海外の取引先と

自社事業をSDGsに照らし合わせてチェックする

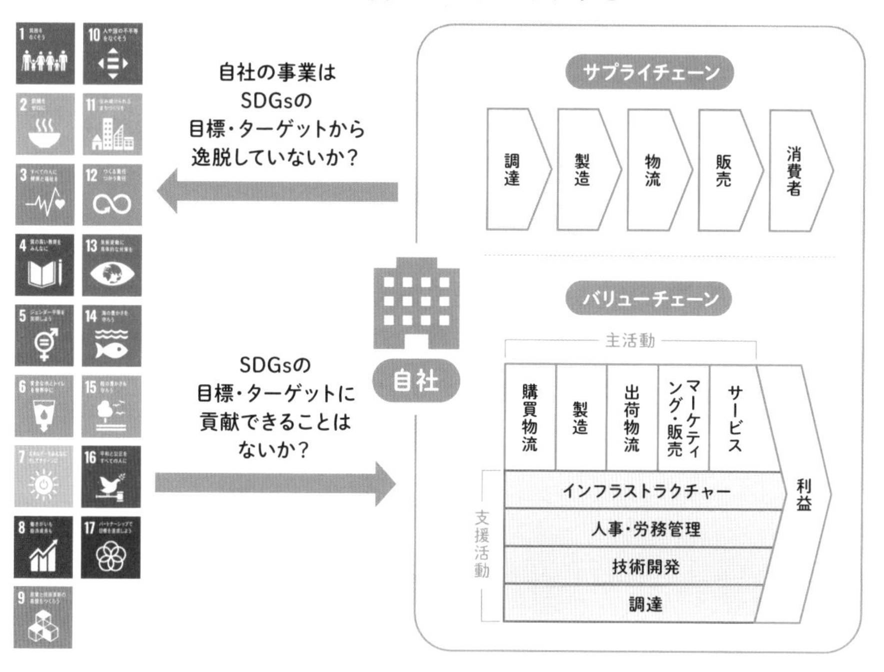

もスムーズにコミュニケーションができますし、理解を得やすくなります。

SDGs起点でコアの事業を展開するという考え方

SDGsがチェックリストになることを利用すれば、SDGsの目標・ターゲットから発想して、新しい事業や新しい商品、新しい取り組みを考えることができます。

SDGsは、世界に数多くの高い要求を突き付けています。だからこそ、SDGsを起点にして「どのようにして、その要求に応えるか」と発想することで、従来のビジネスの延長線上では思いつかないようなアイデアが生まれる可能性もあります。

「やらされ感」をもってSDGsに取り組んでも大きな成果は生まれません。いずれにしろ取り組まなければいけないことなのですから、能動的にSDGsを自社に取り込んでいくほうがいいですし、大きな成果が期待できます。

Column

包装ゼロのスーパー「Original Unverpackt」

レジ袋どころか商品の包装もなし！「廃棄物ゼロ」のスーパー

日本では、2020年7月1日からレジ袋の有料化が始まりましたが、環境先進国ドイツの首都ベルリンには、2014年に廃棄物ゼロをコンセプトとする世界初のスーパーマーケット「Original Unverpackt（オリギナル・ウンフェアパックト）」が誕生しています。この店名を直訳すると「無包装でそのまま」。お菓子や飲料、洗剤、化粧品など、さまざまな商品を量り売りで取り扱っています。客が持参した容器か、店で販売している再利用可能な器を購入して商品を持ち帰るため、店名のとおり、店内の商品には一切包装がないのが特徴です。ときに過剰ともいわれる日本のような包装がないため、日本のスーパーマーケットと店内の様子は大きく異なります（下のホームページの写真参照）。

昨今、日本でも環境保護に対する意識が急速に高まっているので、今後、同じようなコンセプトの小売店が現れるかもしれません。

「Original Unverpackt」のホームページ(https://original-unverpackt.de/)

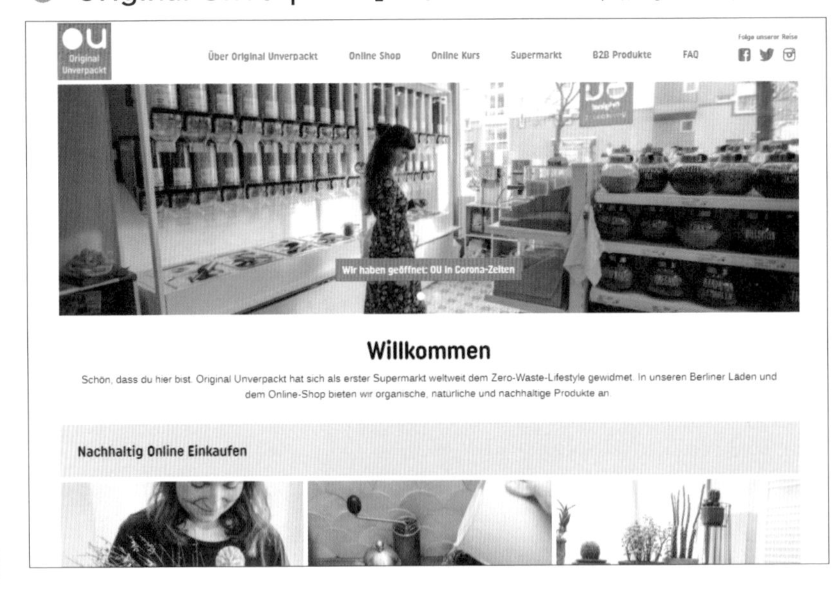

Chap

5

SDGsとESG投資の関係を理解する

ビジネスマンがSDGsについて考えるとき、

投資という側面からの視点をもつことは大切です。

さまざまなステークホルダーは

企業がESG（環境、社会、企業統治）について

どのような取り組みを行っているかを注意深く見ています。

企業は外部からの目を、力に変えることが求められています。

SECTION 01

アナン元事務総長が提唱した6カ条

「PRI(責任投資原則)」とは?

アナン元国連事務総長は、国際社会と世界経済が持続可能な発展を実現するために、機関投資家を中心とした投資コミュニティに対し、投資をするうえでの原則であるPRIを提唱しました。PRIは投資のあり方に変化をもたらし、企業にも変革を促すことになりました。

ESG投資の潮流の原点になったPRI

2006年4月、当時の国連事務総長であるコフィー・アナン氏が機関投資家に対して、6つの原則からなる**「責任投資原則(PRI: Principles for Responsible Investment)」**を発表しました。

この背景には、短期的な利益の追求に走るあまり、ガバナンスの問題から不祥事を起こす企業が後を絶たないことがありました。粉飾決算をきっかけに2001年に破綻した米エネルギー大手エンロンは、その代表例です。

エンロン
かつてアメリカにあった総合エネルギー企業。2001年に特定目的会社(SPC)を利用した巨額の粉飾決算が発覚し倒産した。このエンロン事件はコーポレートガバナンスを重視する契機になり、アメリカでは、2002年に企業の不祥事に対する厳しい罰則を盛り込んだ企業改革法(SOX法)が導入された。

PRIは企業が短期的な利益を追求するあまり、さまざまな問題を起こしてきたことを防ぐ目的があるといえます。

PRIは、機関投資家(生保・損保、銀行、年金基金など、資産保有者から資産運用を受託している機関のこと)が投資を行う際に、以下の3つの要素を投資対象の決定に取り込むことを求めています。

- **環境(E:Environment)**
- **社会(S:Social)**
- **企業統治(G:Governance)**

頭文字をとって、この3要素は**ESG**と呼ばれています。

簡単にいえば、目先の利益優先で環境への負荷などを考えずに乱開発する企業や、途上国で労働者を搾取するようなビジネスを行う企業ではなく、ESGの観点を踏まえた活動を行っている企業を投資先として選び、そうでない企業を投資対象から外すことを機関投資家に求めたのです。

PRI（責任投資原則）の6つの原則

1. 私たちは、投資分析と意思決定のプロセスに
ESG課題を組み込みます。
2. 私たちは、活動的な（株式などの）所有者になり、
所有方針と所有習慣にESG問題を組み入れます。
3. 私たちは、投資対象の企業に対して
ESGの課題についての適切な開示を求めます。
4. 私たちは、資産運用業界において本原則が受け入れられ、
実行に移されるよう働きかけを行います。
5. 私たちは、本原則を実行する際の
効果を高めるために、協働します。
6. 私たちは、本原則の実行に関する活動状況や進捗状況に
関して報告します。

出所：PRI

PRIは企業に変化を促すことにつながった

機関投資家がPRIを守るようになれば、企業は機関投資家から投資先として選定されるためにESG要因に配慮する必要が増します。**PRIは投資という側面から企業に対して、ESG要因に配慮するように圧力をかける仕掛け**ともいえるのです。

企業もESG要因に配慮すれば消費者から支持を得られやすくなるなどメリットがあります。逆に**ESG要因に配慮しない企業は投資対象から外されるだけでなく、消費者の支持も失います。**

PRIは6カ条のシンプルなものですが、世界を大きく変える力をもっています。アナン氏は、多額の資金が必要とされる世界の課題・問題の解決に、効率的に投資の力を利用し、かつ持続可能な仕組みにすることを狙ったわけです。P.134で詳しく説明しますが、PRIに署名することで、受益者と顧客の期待に応えようとする機関投資家の数は世界中で増えています。

SECTION 02

世界中でPRIに署名した機関はどれぐらいある？

世界中でPRIに署名する企業や機関が増えている

2006年に機関投資家のESG投資を推進することを目指して発表された「PRI」に署名する機関は、発表されてから10年以上経った現在でも、一貫して増え続けています。世界と日本の動向を見ていきます。

世界でPRIに署名する機関は増え続けている

2020年3月末までにPRIに署名した機関は全世界で3,038で、国別ではアメリカ、イギリス、フランスなど、欧米の国々が上位に並んでいます。

日本の署名機関数はアジアで最多ですが、2020年4月現在、署名したのはわずか84にとどまっています。

日本ではGPIFが最初に署名した

日本でもPRIに署名する機関は増えていますが、その先鞭をつけたのは、2015年9月に署名した世界最大の年金基金である年金積立金管理運用独立行政法人（GPIF）です。

年金積立金管理運用独立行政法人（GPIF）
日本の厚生年金、国民年金の管理・運用を行う組織で、英略の「GPIF（Government Pension Investment Fund）と呼ばれることが多い。運用資産額は2019年度末時点で150兆6,332億円となっている。

2015年9月にニューヨークで行われた、「持続可能な開発のための2030アジェンダ」を採択することになるSDGsサミットで、安倍晋三元首相は貧困撲滅や気候変動問題への積極的関与を表明するとともに「世界最大1兆ドル規模の年金積立金を運用する我が国のGPIFが、国連の責任投資原則に署名しました。これは、持続可能な開発の実現にも貢献することとなるでしょう」とGPIFのPRI署名に触れています。

日本ではGPIFが署名したことが契機となり、銀行、生保、損保、投信運用会社といった金融機関を中心に署名する機関が増えました。金融機関以外では、多額の資産を運用している東京大学、エーザイやキッコーマンといった大手企業の企業年金基金なども署名しています。

PRIの署名機関数と運用資産総額の推移

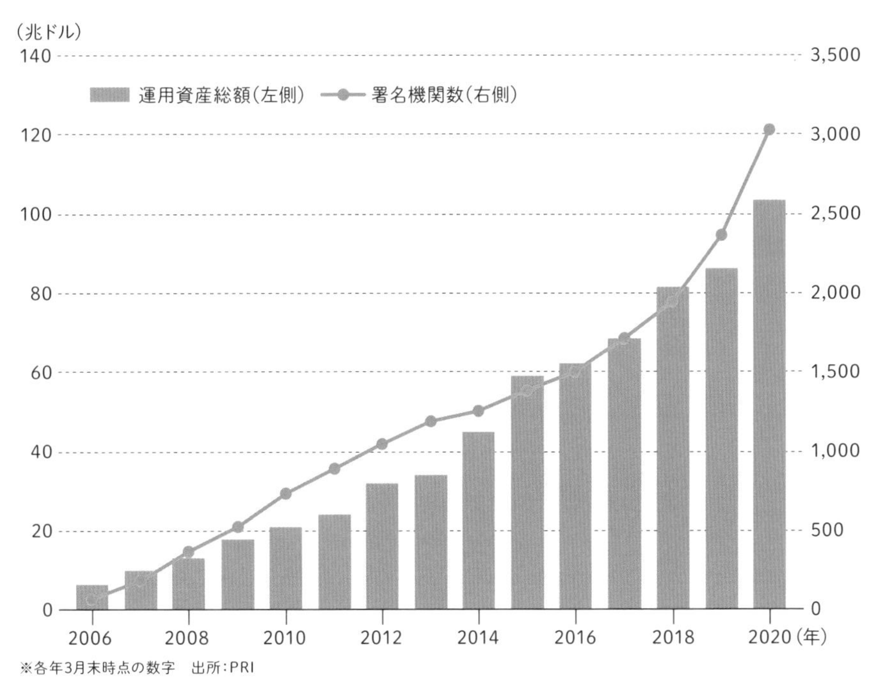

※各年3月末時点の数字　出所:PRI

主要国のPRI署名機関数 (2020年4月1日時点)

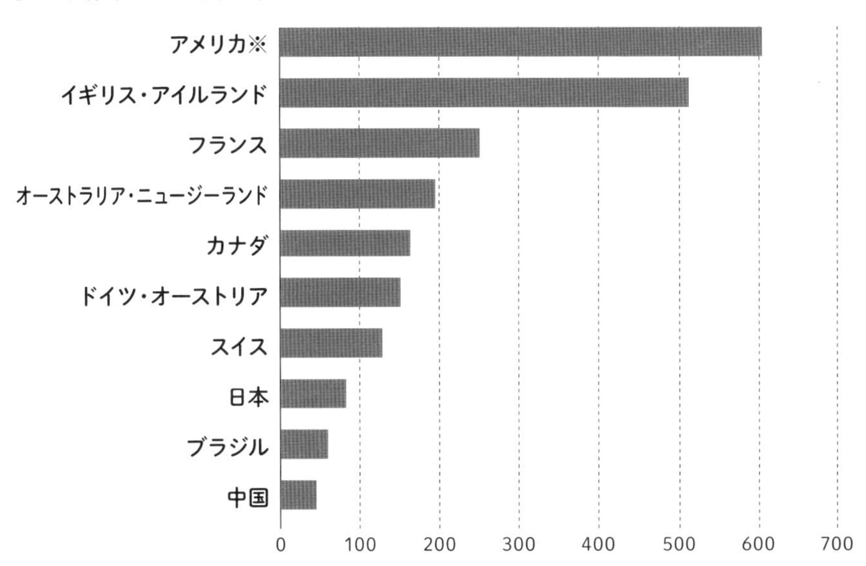

※米国は2020年6月1日時点の数字　出所:PRI

SECTION 03

ESG投資とは?

投資の主流になりつつある「ESG投資」

近年、「環境（E：Environment)」「社会（S：Social)」「企業統治（G：Governance)」の３要素、いわゆるESGに配慮した企業に投資するESG投資がトレンドになっています。なぜ機関投資家はESG投資をするのでしょうか。

非財務情報の重要性が増している

PRI（P.132）をきっかけに、投資の世界ではESG投資が大きなムーブメントになり、その存在感は増すばかりです。

従来、投資家が投資対象となる企業を選定する際に重視してきたのは、売上高や利益などのいわゆる「財務情報」でした。しかし、PRIが提唱されて以降、「財務情報」に加えて、「非財務情報」も重視されるようになっています。

たとえば、**「環境（E：Environment)」**であれば地球温暖化対策など、**「社会（S：Social)」**はジェンダー平等や児童労働禁止など、**「企業統治（G：Governance)」**はコンプライアンスなどがその要素として挙げられます。これらの**「非財務情報」であるESGを考慮する投資を「ESG投資」といいます。**

消費者として、自然環境に配慮しない企業、女性に差別的な企業、法令違反をするような企業の商品を積極的に買いたいと思うでしょうか。多くの人はそのような企業は選択肢から排除するはずです。消費者がそのような行動をすれば、ESGに配慮しない企業は、いずれ市場からの退場を余儀なくされるでしょう。

その点でいえば、ESG評価の高い企業は、事業の社会的意義が高いと判断されるので、投資家のみならず、ESGに関心をもつ消費者からも選ばれやすくなります。それはその会社の成長性や持続性などにつながり、投資家に利益をもたらしてくれる可能性が高いため、投資対象として積極的に選ばれるようになってきているのです。

財務情報
ディスクロージャー情報のうち、財務諸表（損益計算書、貸借対照表、キャッシュフロー計算書）を中心とした財務に関する情報のこと。

非財務情報
ディスクロージャー情報のうち、財務諸表などで開示される情報以外の情報のことで、環境・社会・ガバナンスに関する情報を指すことが多い。

ESG投資の視点

CHECK
Environment
環境

- CO_2排出量の削減を行っているか？
- 生物多様性の保護に配慮しているか？
- 気候変動対策を行っているか？
- 再生可能エネルギーを活用しているか？

など

CHECK
Social
社会

- 労働環境の改善を行っているか？
- 人権に配慮しているか？
- 女性を役員に登用しているか？
- 児童労働を行っていないか？

など

CHECK
Governance
企業統治
（ガバナンス）

- 法令を遵守しているか？
- 情報開示に積極的か？
- 社外取締役を設置しているか？
- 役員会の独立性は担保されているか？

など

「財務情報」だけでなく、「非財務情報」も考慮して投資を行うのが「ESG投資」！

「統合報告書」をつくる企業が増えている

従来、上場企業は決算発表ごとに、「事業報告書」などで当該期間の財務情報を中心とした経営成績を公表してきました。なぜなら、投資家は経営状況を「財務状態」で判断したからです。しかし、**近年は、ESGへの取り組みを評価する投資家が増えていることもあり、非財務情報もあわせて公表する「統合報告書」で非財務情報を積極的に開示する企業が増えています。**

SECTION 04

知っておくべきさまざまな投資手法の考え方

ESG投資、SRI(社会的責任投資)、インパクト投資の違い

ESG 投資と似た概念に、「SRI（社会的責任投資）」や「インパクト投資」があります。言葉が違う以上、それぞれの目指すことや考え方は異なります。ここではそれぞれが何を重視しているのか、その違いについて説明します。

SRIは倫理的価値観を重視する

ESG 投資によく似た概念に**「社会的責任投資（SRI、Socially Responsible Investment)」**や、「インパクト投資」があります。「サステナブル投資（持続可能な投資)」とも呼ばれる SRI は、一般的に投資対象となる企業の CSR（企業の社会的責任）に着目し、経済的利益だけでなく、社会・環境にもたらすメリットに考慮しながら、投資の力によってよりよい世界に貢献する戦略的投資を指します。SRI は 1920 年代のアメリカで武器、ギャンブル、タバコ、アルコールなどに関わる企業へは投資しないというネガティブ・スクリーニング（P.142）が起源とされているように、決して新しい考え方ではありません。

インパクト投資
貧困層支援や教育問題、飲料水の問題など社会的課題の解決に取り組む企業や領域に投資し、経済的なリターンだけでなく、社会的なリターンの両立を実現する投資手法。投資活動が社会に与える実際の影響度（インパクト）を重視するためこう呼ばれる。

SRI も ESG 投資も非財務情報を考慮するのは同じなので違いはわかりづらいですが、その起源からもわかるように、**SRI は「社会正義」などの倫理的な価値観を重視するのが特徴**です。つまり、投資することで「利益が出そうな会社」よりも、自らの倫理的基準に照らし合わせて「良い会社であるか」を重視します。

インパクト投資は「社会問題の解決」を重視する

インパクト投資は、社会的な問題や環境問題の解決に資する事業を行う企業や組織、ファンドなどに投資することで、社会課題の解決と投資のリターンの両立を目指す投資手法です。ESG 投資のひとつの手法といえますが、**「社会問題の解決」にどれだけインパクト（成果）を与えることができるかに力点が置かれる**

ESG投資、SRI(社会的責任投資)、インパクト投資の違い

	SRI(社会的責任投資)	ESG投資	インパクト投資
投資の目的	投資家の倫理基準の反映	サステナビリティを考慮した投資リターンの追求	社会問題の解決と投資リターンの両立
最も重視されるもの	倫理	リターン	社会問題の解決
投資手法	酒、たばこ、武器、ギャンブルなどに関連する銘柄を排除した投資	7つの手法(P.142)による投資	社会的インパクトの評価が高い企業などへの投資

のが特徴です。たとえば、貧困層の自立を支援するマイクロファイナンス(小口融資)を行う金融会社は、社会問題を解決するイノベーションと考えられるので投資対象になりますが、日本の消費者金融は社会問題を解決するイノベーションとは考えにくいため、その対象になりません。

ESG投資はインパクト投資より「リターン」重視

ESG投資は、「環境・社会・企業統治」を考慮することが長期的な企業価値の向上につながる——結果としてリターンの増大がもたらされると考えて投資する手法といえます。**社会問題の解決を重視するインパクト投資よりもリターンに着目します。**

また、SRIは明確な倫理基準がなければできませんが、ESG投資は倫理基準の有無は問わないといえます。サステナビリティが求められる現代においては、すべての投資家に求められる考え方といえるかもしれません。

マイクロ・ファイナンス(小口融資)
貧しい人々に小口の融資や貯蓄などのサービスを提供し、起業や事業運営を支援することで、貧困から脱出して経済的自立を目指す金融サービス。バングラデシュ人ムハマド・ユヌス氏(写真)が始めたグラミン銀行が有名。同氏はグラミン銀行設立の功績が認められ、2006年にノーベル平和賞を受賞した。

lev radin / Shutterstock.com

SECTION 05

注目を集めるESG投資の現状

ESG投資の資産運用残高は急速に伸びている

国連がPRI（責任投資原則）を公表したことをきっかけに、持続可能な社会発展に貢献する活動としてESGを重視した投資が広く普及するようになりました。ここでは、そのESG投資の現状について触れていきます。

世界の投資の3分の1はESG投資に

世界持続的投資連合（GSIA）
日本では、「世界持続的投資連合」「世界持続可能投資連合」と訳される。環境保護や社会問題などへの取り組みを考慮して、企業向け投資の可否を決める持続可能な投資を普及するための国際組織。2年に1度、サステナブル投資に関する報告書を公表する。

世界のESG投資額に関する統計を集計する国際団体である世界持続的投資連合（GSIA）の報告書によると、**世界のESG投資残高は、2016年の22兆8,900億ドル（約2,398兆円）から2018年には30兆6,830億ドル（約3,375兆円）と、2年間で34.4%も増えています。**

2016年の年初時点の世界全体の投資総額に占めるESG投資の割合は約4分の1でしたが、2018年の年初時点では35.4%まで増加しています。機関投資家が投資先としてESGに配慮する企業を選好する傾向を強めているのです。

日本でもESG投資が急増している

ESG投資残高を地域別に見ると、欧米が約85%を占めています。**日本は2014年にわずか8,400億円程度でしたが、2016年には約57兆円、2018年には約232兆円と急増**しています。

投資額全体に占めるESG投資の割合は、カナダやオーストラリア／ニュージーランドでは50%超で、いまやESG投資が主流になっています。アメリカは年々比率は上がっていますが、25.7%にとどまり、欧州は2014年に58.8%だった比率が2018年は48.8%に下がっています。日本は2014年ではわずか0.2%でしたが、2018年には18.3%まで比率を高めています。詳しくはP.146で説明しますが、2017年にGPIFがESG投資を始めたことが影響しています。

世界のESG投資残高の推移

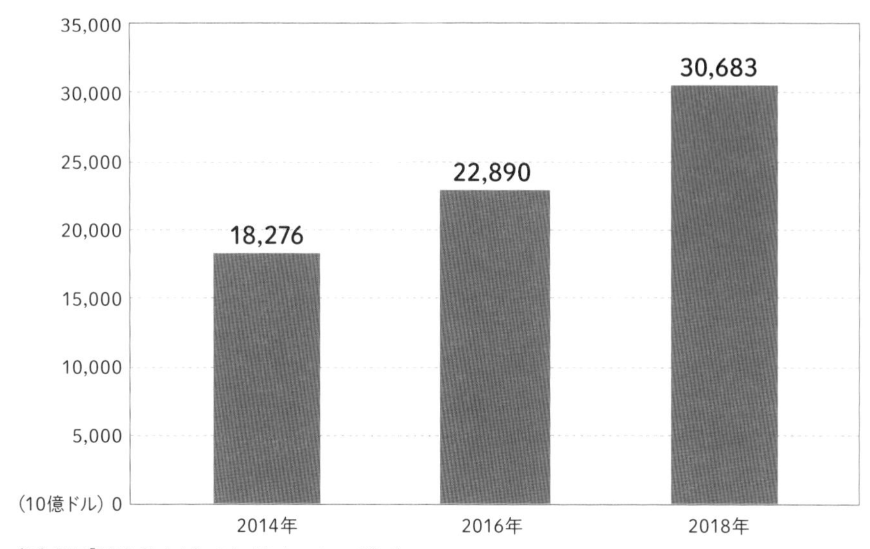

出所：GSIA「2018 Global Sustainable Investment Review」

ESG投資残高の国・地域別内訳（2018年）

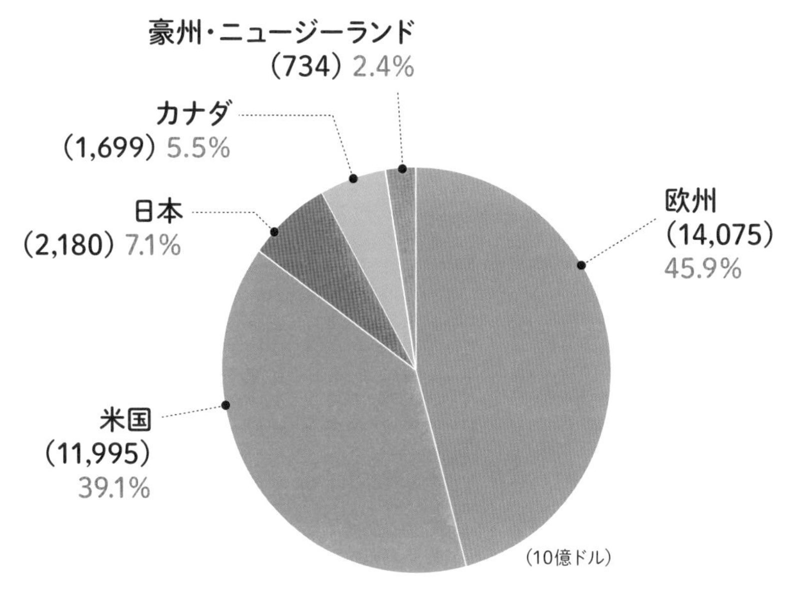

出所：GSIA「2018 Global Sustainable Investment Review」

SECTION 06

急拡大するESG投資のアプローチとは?

ESG投資の代表的な7つアプローチ

近年、環境・社会・ガバナンスといった非財務情報を考慮する「ESG 投資」が世界的に注目を集め拡大しています。ひとくちに ESG 投資といっても投資アプローチはさまざまです。ここでは、ESG 投資の 7 つの代表的なアプローチについて説明します。

ESG投資の7つのアプローチ

GSIA(世界持続的投資連合)によると、ESG 投資には、以下の 7 つのアプローチがあります。いずれも積極的に非財務情報を活用し、市場平均よりも大きなリターンを目指します。

①ネガティブ・スクリーニング……武器、ギャンブル、たばこ、化石燃料、原子力、アルコール、動物実験などに関する企業を投資先から除外する。
②ポジティブ・スクリーニング……ESG に積極的な企業は中長期的に成長するという観点で、ESG 評価が高い企業に投資する。
③規範に基づくスクリーニング……ESG 分野で国際的な規範への対応が不十分な企業を投資先リストから除外する。
④ ESG インテグレーション……財務情報だけでなく非財務情報(ESG 情報)も含めて投資対象を分析する。
⑤サステナビリティテーマ投資……持続可能性と関連のあるテーマや資産、たとえば、グリーンエネルギー、グリーンテクノロジー、持続可能な農業への投資などへ投資する。
⑥インパクト投資/コミュニティ投資……社会・環境課題を解決する技術やサービスを提供する企業に投資する手法。社会的弱者や社会から排除されたコミュニティに対するものは「コミュニティ投資」と呼ばれる。
⑦エンゲージメント・議決権行使……株主として積極的に企業へ働きかける投資手法。株主総会での議決権行使、情報開示要求な

コミュニティ投資
インパクト投資の一種で、なかでも支援が行き届きにくい社会的弱者や低所得者層、支援が必要なコミュニティの地元の中小企業や団体などへの投資を指す。

➡ ESG投資の7つのアプローチと投資額

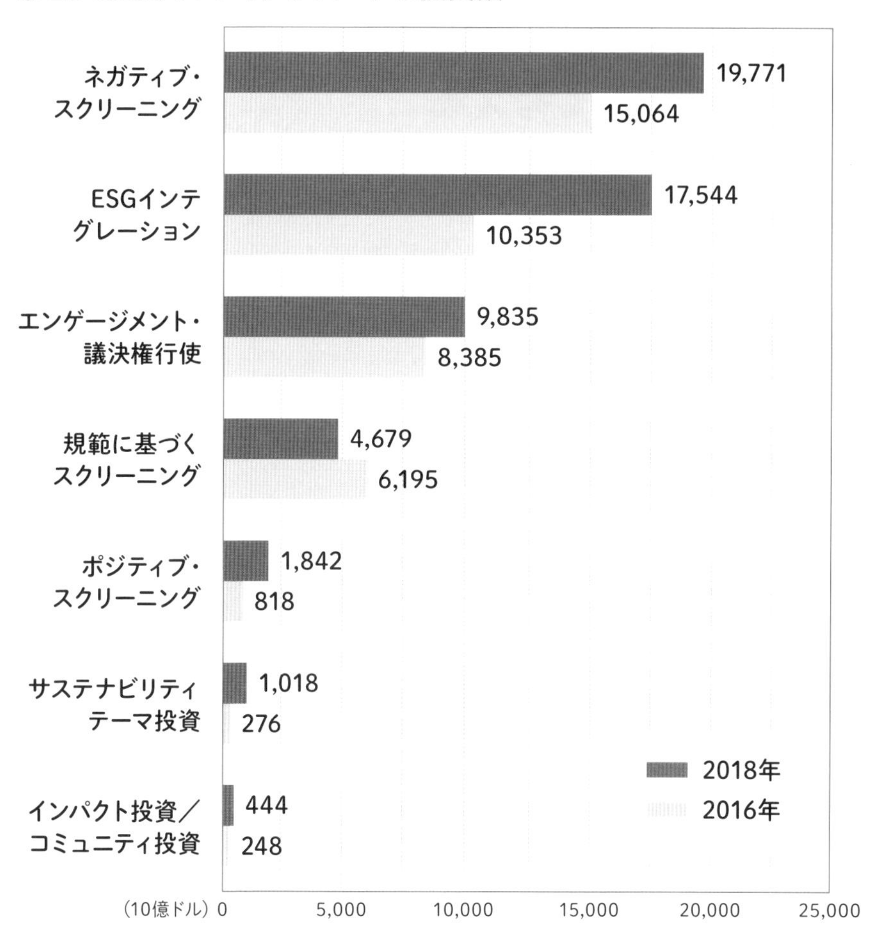

出所：GSIA「2018 Global Sustainable Investment Review」

どの対話を通じてESGへの配慮を投資先企業に迫る。

投資家の資金量は急拡大している

上のグラフを見てもわかるように、「規範に基づくスクリーニング」以外は投資額が伸びており、「ネガティブ・スクリーニング」と「ESGインテグレーション」が主流です。絶対額は小さいですが、「サステナビリティテーマ投資」は3.7倍、「インパクト投資／コミュニティ投資」は1.8倍と大きく成長しています。

SECTION 07

ESG投資が企業に与える影響

ESG投資とSDGsの関係を整理して考える

機関投資家を中心とする投資家がESG投資を行うことは、企業は環境、社会、ガバナンスに対する意識を向上させることにつながります。では、そのESG投資はどのようにSDGsとつながるのでしょうか。ここではそのつながりをわかりやすく説明します。

「本業の利益」と「社会貢献」を一致させる時代に

ESG投資はSDGsとどのように関係しているのでしょうか。

全世界を挙げて行われているSDGsの取り組みは、投資の世界でも変化を起こしています。

ややもすると、SDGsの取り組みとリターンを追求する投資の世界は相反するように思えますが、P.150で触れるようにSDGsに取り組む企業に投資したほうが投資のリターンが大きくなる傾向がわかってきています。

かつては、企業が行うCSR（企業の社会的責任）活動をコストと考える向きがありました。実際に、本業とは関係がないような環境保全活動や寄付は、イメージアップなどの効果はあったかもしれませんが、経営的に見ればコストだったといえるでしょう。利益を出したうえで、それを寄付や活動費を捻出する発想です。

しかし、「経済」「環境」「人権」を並び立たせるSDGsは、本業を通じて、SDGsの目標に貢献することが求められます。**SDGsは「企業活動で利益を出すこと＝SDGsに貢献すること」で本業と社会貢献が一致しているのです。**

「自分が投資するなら」と考えてみる

SDGsやESGという考え方が一般的になっていくなかで、もし自分が投資をするなら、どんな企業を選びたいでしょうか。

たとえば、利益が出ていても過労死が頻繁に発生する企業や、環境破壊してでも利益を出している企業に自分の大切なお金を投

過労死
過度な長時間労働や残業を強いられた結果、脳疾患や心不全などによる急激な体調の悪化に伴う突然死のこと。労働行政においては、一般的に月80時間超の時間外労働が過労死と認定されるラインの目安とされている。

ESG投資と企業にも新たな事業機会をもたらす

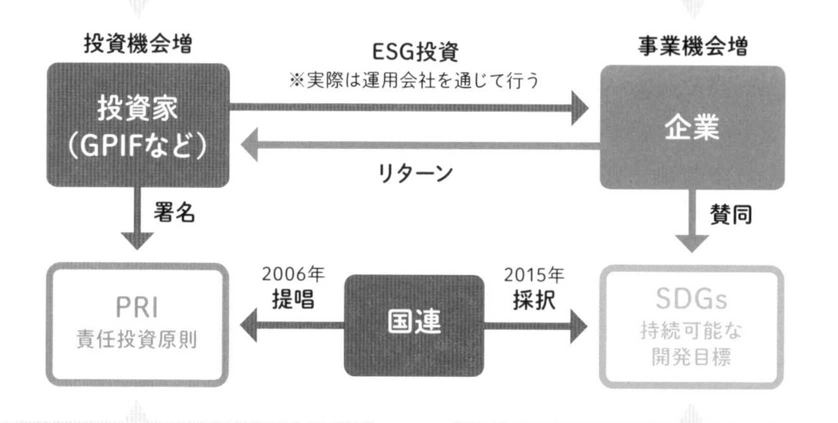

出所：GPIF

じたいでしょうか。そもそも長期的視野でみて、そんな会社が成長を続けることができるでしょうか。

社会や環境に悪影響を及ぼしている会社は、将来的にブランドイメージが低下して顧客離れが起こり、業績が悪化するリスクがそうでない企業より大きくなります。そんな会社で働きたいと考える優秀な人材もいないでしょう。機関投資家や金融機関がダイベストメントに転じるかもしれません。

ダイベストメント
インベストメント（投資）の逆で、非倫理的または道徳でないと思われる株や債券、投資信託などを手放すこと。

投資家は、ESG投資やインパクト投資などに代表されるように、「企業がSDGsの目標をどう取り入れ、どう取り組んでいるか」そして「どう利益を出しているのか」という視点で投資判断する傾向を強めています。

投資をしてもらう**企業側からの目線でいえば、「SDGsの目標を達成するため」ということを大前提にして、自社のビジネスモデルを考える必要性が増しています。**SDGsに貢献できない企業は持続可能ではなくなるのです。

SECTION 08

GPIFが変えた日本のESG投資の流れ

世界最大の機関投資家 GPIFが力を入れるESG投資

巨額の公的年金の積立金を運用する年金積立金管理運用独立行政法人（GPIF）が、ESG投資に注力したことで、日本でもESG投資が注目されるようになっています。ESG投資で運用される公的年金の額は増える傾向にあります。

GPIFが日本のESG投資の先駆けとなった

公的年金を運用する年金積立金管理運用独立行政法人（GPIF）は、164兆2,453億円（2020年6月末現在）の資産を持つ世界最大の機関投資家として知られています。

GPIFは、2017年6月に制定した「スチュワードシップ活動原則」で公的年金の運用をする信託銀行や投資顧問会社などの運用受託機関に対し、ESGに配慮する企業への投資を求めました。これをきっかけに日本でもESG投資が広がりました。

2017年7月、GPIFは3つのESG指数を選定・公表して、約1兆円規模でESG投資を開始しました。ESG指数とは、ESG評価が優れる企業で構成される株価指数です。指数によって、「E（環境）」の部分に着目したり、「女性の活躍」に着目するなど、企業の評価方法は異なります。これらの指数に連動する運用をすることでGPIFはESG投資を行っています。**2020年6月末現在、5つのESG指数（ESG5指数）で5.7兆円を運用しています。**

また、2020年2月には積立金基本指針を改正し、長期的な収益を確保する観点から、「非財務的要素であるESG（環境、社会、ガバナンス）を考慮した投資を推進することについて、個別に検討した上で、必要な取組を行うこと」としました。

上場企業から見れば、GPIFのESG5指数に採用されれば注目度が高まり、株価の上昇要因になります。**GPIFがESG投資に力を入れることは、上場企業がESG要因に対してより積極的になるインセンティブになっています。**

積立金基本指針
厚生年金の積立金の管理及び運用が長期的な観点から安全かつ効率的に行われるようにするための基本的な指針。厚生労働大臣が案を作成し、総務、財務、文部科学の三大臣に協議して定め、公表される。

GPIFが採用する5つのESG指数と運用額（2020年3月末）

指数名〈対象〉	指数のコンセプト	〈指数構成銘柄〉 運用額
ESG FTSE Blossom Japan Index 〈国内株〉	● 世界有数の歴史を持つFTSEのESG指数シリーズ。FTSE4GoodJapanIndexのESG評価スキームを用いて評価 ● ESG評価の絶対評価が高い銘柄をスクリーニングし、最後に業種ウエイト（比重）を中立化したESG総合型指数	〈181〉 **9,314億円**
ESG MSCIジャパンESGセレクト・リーダーズ指数 〈国内株〉	● 世界で1,000社以上が利用するMSCIのESGリサーチに基づいて構築し、さまざまなESGリスクを包括的に市場ポートフォリオに反映したESG総合型指数 ● 業種内でESG評価が相対的に高い銘柄を組み入れ	〈248〉 **1兆3,061億円**
社会（S） MSCI日本株女性活躍指数（愛称「WIN」） 〈国内株〉	● 女性活躍推進法により開示される女性雇用に関するデータに基づき、多面的に性別多様性スコアを算出、各業種から同スコアの高い企業を選別して指数を構築 ● 当該分野で多面的な評価を行った初の指数	〈305〉 **7,978億円**
環境（E） S&P/JPXカーボン・エフィシェント指数 〈国内株〉	● 環境評価のパイオニア的存在であるTrucostによる炭素排出量データをもとに、世界最大級の独立系指数会社であるS&Pダウ・ジョーンズ・インデックスが指数を構築 ● 同業種内で炭素効率性が高い（温室効果ガス排出量/売上高が低い）企業、温室効果ガス排出に関する情報開示を行っている企業の投資ウエイト（比重）を高めた指数	〈1,725〉 **9,802億円**
環境（E） S&Pグローバルカーボン・大中型株エフィシェント指数（除く日本） 〈外国株〉		〈2,037〉 **1兆7,106億円**
	合計	**5兆7,261億円**

出所：GPIF

SECTION 09

上場企業のESG活動の現在

日本でもESGに配慮する上場企業が増えている

GPIFは2016年から毎年、東証一部上場企業を対象に「機関投資家のスチュワードシップ活動に関する上場企業向けアンケート」を実施しています。2020年に実施されたアンケートから、日本企業のESG活動の現在を見ていきましょう。

ESGを含む非財務情報の任意開示は7割超

GPIFは2016年から東証一部上場企業に対し、年金の運用受託機関（信託銀行・投資顧問会社）のスチュワードシップ活動に関する評価と「目的を持った建設的な対話」（エンゲージメント）の実態およびスチュワードシップ・コード改訂以降の変化の把握を目的にアンケートを実施しています。2020年5月に結果が公表された第5回アンケートを見るとESG活動やSDGsに対する上場企業の取り組みの現状が見えてきます。

「貴社ではESGを含む非財務情報の任意開示（CSR報告書、サステナビリティ報告書、統合報告書など）を行っていますか？」という設問に対して、74.8%が決算説明会、IRミーティングなどの場で「行っている」と回答、53.0%の企業が統合報告書またはそれと同等の機関投資家向け報告書を「作成している」と回答しています。ESG活動の主要テーマでは、「コーポレートガバナンス」「気候変動」「ダイバーシティ（多様性）」が上位に並びます（右ページ上表）。

また、このレポートでは企業の気候関連のリスクと機会を適切に評価できるような投資家への情報開示の重要性が増していることから、近年注目が高まる「気候関連財務情報開示タスクフォース（TCFD）」に賛同する企業が今後増えることを示唆しています。

なお、**SDGsについては、99.4%が認知しており、うち61.6%の企業は取り組みを始めている**と回答。30.5%の企業が取り組むことを検討していると回答しています（右ページ下図）。

スチュワードシップ
他人から預かった資産を、責任をもって管理運用すること。

スチュワードシップ・コード
コーポレートガバナンスの向上を目的とした機関投資家の行動規範のこと。日本では、金融庁が2014年に日本版スチュワードシップ・コードを制定し、2017年に改訂を行った。

気候関連財務情報開示タスクフォース（TCFD）
国際金融に関する監督業務を行う金融安定理事会（FSB）により設置された、気候関連の情報開示及び金融機関の対応をどのように行うかを検討するためのタスクフォース。

➡ 東証1部上場企業ののESG活動における主要テーマ

順位（2020年）	前回（2019年）	テーマ	今回（2020年）	前回（2019年）	増減
1	1	コーポレートガバナンス	70.8%	71.2%	−0.4
2	2	気候変動	53.9%	45.5%	+8.4
3	3	ダイバーシティ（多様性）	44.0%	41.6%	+2.4
4	4	人権と地域社会	34.7%	34.4%	+0.3
5	5	健康と安全	32.6%	33.3%	−0.7
6	6	製品サービスの安全	30.8%	32.0%	−1.2
7	7	リスクマネジメント	29.8%	27.5%	+2.3
8	8	情報開示	23.3%	21.2%	+2.1
9	9	サプライチェーン	20.2%	16.9%	+3.3
10	10	取締役会構成・評価	16.2%	15.4%	+0.8

※25項目から、企業が最大5つテーマを選択
出所：GPIF「第5回 機関投資家のスチュワードシップ活動に関する上場企業向けアンケート集計結果」

➡ 東証1部上場企業のSDGsについての認識と取り組み状況

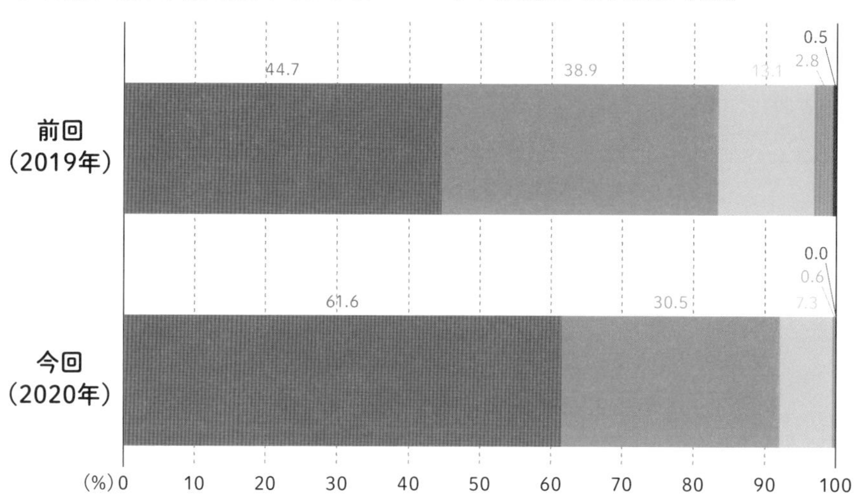

出所：GPIF「第5回 機関投資家のスチュワードシップ活動 に関する上場企業向けアンケート集計結果」

SECTION 10

リターンを重視するESG投資の気になる成績は？

ESG投資のパフォーマンスは本当に優れているのか？

以前は、「社会、環境に配慮するとコストが高くなり、経済的なリターンが犠牲となる」と考えられていましたが、さまざまな研究や客観的なデータでESG投資やSRIは、経済的なリターンが大きくなることが証明されつつあります。

ESG投資は3年間の市場平均を上回った

ESG投資が、投資リターンを重視する以上、実際のパフォーマンスがどうなのかが気になるところです。そこでGPIFが公表している「2019年度ESG活動報告」からESG投資のパフォーマンスについて見ていきましょう。

GPIFが選定したESG5指数（P.146）のパフォーマンスを見ると、右ページの表のように、**2017年4月から2020年3月までの3年間について、すべてのESG指数が、市場平均（国内株式：TOPIX、外国株式：MSCI ACWI（除く日本））を上回りました。**

少しわかりづらいので、右ページ表内にある「親指数」について、ESG5指数のひとつである「MSCIジャパンESGセレクト・リーダーズ指数」を例に説明しておきましょう。

「MSCIジャパンESGセレクト・リーダーズ指数」は、時価総額上位700銘柄で構成された「MSCIジャパンIMIトップ700指数」を親指数として、その構成銘柄の中からESG評価に優れた企業を選別して構成されています。つまり時価総額が小さい銘柄を省いたうえで、ESG評価が高い銘柄を抽出した指数ということです。

GPIFは、このような指数に連動した運用をすることでESG投資を行ったうえで、ESG評価が優れていない銘柄も含む親指数とESG5指数を比較しているということです。

ただし、3年間という短期間の結果である点には注意が必要

TOPIX
東京証券取引所第一部上場株式銘柄を対象に算出・公表している株価指数。東証株価指数とも呼ばれる。

MSCI ACWI
米MSCI社が算出・公表する世界47カ国（先進国23カ国、新興国24カ国）の銘柄を対象とした株価指数。ACWIは、「All Country World Index」の略。

時価総額
株価に発行済みの株式数を掛けた数字のこと。時価総額が大きい銘柄ほど、「会社全体の価値が高い＝企業規模が大きい」と考えられる。2020年8月26日現在、日本で最も時価総額が大きい銘柄は約23兆2,400億円のトヨタ自動車となっている。

GPIFが選定したESG5指数の収益率

日本株対象のESG指数

2017年4月〜2020年3月（年率換算後）	当該指数	親指数	TOPIX
MSCI ジャパンESGセレクト・リーダーズ指数 （親指数：MSCIジャパンIMIのうち時価総額上位700銘柄）	2.24%	0.09%	▲0.14%
MSCI 日本株女性活躍指数 （親指数：MSCIジャパンIMIのうち時価総額上位500銘柄）	1.99%	0.17%	▲0.14%
FTSE Blossom Japan Index （親指数：FTSE JAPAN INDEX）	0.15%	0.08%	▲0.14%
S&P/JPX カーボン・エフィシエント指数 （親指数：TOPIX）	0.10%	▲0.14%	▲0.14%

外国株対象のESG指数

2017年4月〜2020年3月（年率換算後）	当該指数	親指数	TOPIX
S&P グローバル・カーボン・エフィシエント大中型株指数（除く日本） （親指数：S&P 大中型株指数（除く日本））	1.28%	1.13%	0.92%

出所：GPIF「2019年度ESG活動報告」

です。そもそも、**ESG投資は投資期間が長期にわたるほど、非ESG投資よりも高い投資リターンが期待できる前提で投資する手法なので、長期的な検証が必要**だからです。

GPIFのように受託者責任を負う機関投資家は、投資効果があることを大前提としてESG投資で私たちが預けた年金資金を運用しています。その結果は将来受け取る年金にも影響を及ぼしますから、本当にESG投資はパフォーマンスが高くなるのか、今後の動向にも注目してみましょう。

受託者責任
資産の運用に関わる受託者が受益者に負うべき責任のこと。公的年金においては、GPIFが受託者、年金を受け取る人が受益者になる。受託者は職務を遂行する「忠実義務」、専門家としての通常期待される「善管注意義務」を追う。「フィデュシャリー・デューティー」ともいう。

SECTION 11

金融商品にも影響を及ぼしているSDGs

SDGsに貢献できるさまざまな金融商品

SDGsの達成には莫大な資金が必要です。国や地方自治体だけでは到底賄いきれるものではないため、民間の資金の力を必要としています。民間資金とSDGsを結び付ける大きな役割を果たしているのが、さまざまな金融商品です。

資金を必要とするSDGsと金融商品

SDGsの達成を実現するには膨大な資金が必要とされており、公的資金はもちろんこと、民間からの投資も必要とされています。その膨大な資金を集めるのにひと役買い、直接的または間接的にSDGsへの貢献しているのがさまざまな金融商品です。

たとえば、環境や社会、企業統治(ESG)の要素を投資判断に体系的に組み込み、総合的な評価が高い企業に資金供給を行い企業に改善を促す「ESGインテグレーション」(P.142)と呼ばれる投資手法があるのはすでに述べたとおりです。

また、**SDGsに貢献する事業を行っている企業に投資する債券(ボンド)や投資信託(ファンド)も増えています。**それらは、SDGsの達成に向けて取り組む企業、国・地域、行政機関、国際機関などに資金を供給し、その資金はSDGsの達成に貢献するプロジェクトに用いられます。金融商品を通じて、その活動を後押しするということです。

近年、注目を集める「SDGs債」

近年注目を集めているのが、「グリーンボンド」や「ソーシャルボンド」、「サステナビリティボンド」などを含む、いわゆる「SDGs債」です。

P.56で説明したように、日本政府は「SDGs実施指針」で8つの優先課題を示しています。そのうちのひとつ「SDGs実施推進の体制と手段」の具体的な施策として、「国際協力機構(JICA)

グリーンボンド
地球温暖化対策や再生可能エネルギーなど、環境分野への取り組みに特化した資金を調達するために発行される債券のこと。

ソーシャルボンド
国際資本市場協会(ICMA)が定めたソーシャルボンド原則に定義された、社会的課題の解決に資するプロジェクトの資金調達のために発行される債券のこと。

サステナビリティボンド
資金の使い道を環境・社会の持続可能性に貢献する事業に限定した債券のこと。

JICA債の仕組み

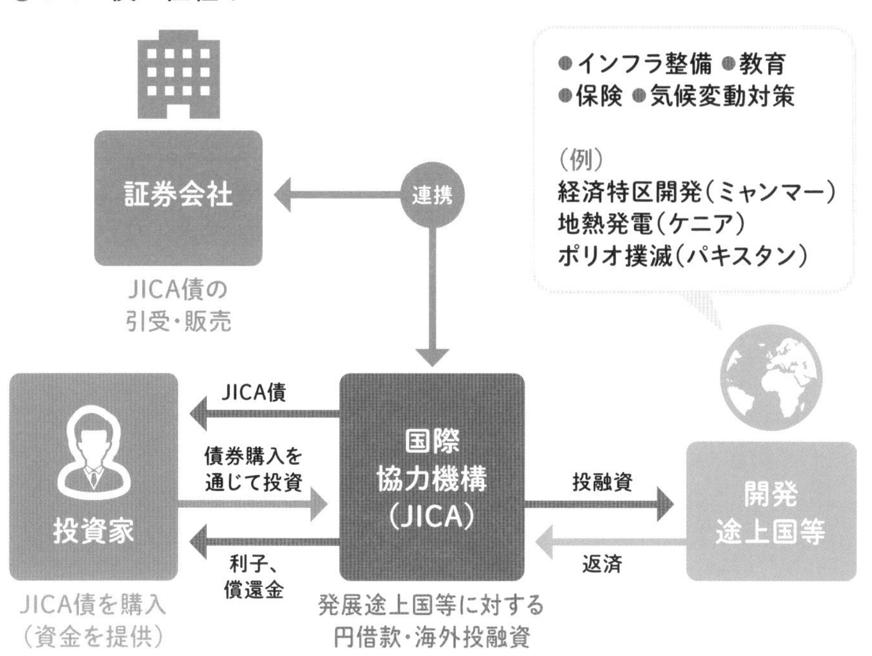

債の発行を通じて国内の民間資金を開発途上国のために動員する」ことを挙げています。JICA債は、社会課題への対応を目的とした事業を資金使途とする「ソーシャルボンド」で、調達された資金は、開発途上国で持続可能な経済成長・貧困削減・気候変動対策などに貢献する事業に使われています。

SDGs債を発行する企業も増えています。モーター世界大手・日本電産は2019年にグリーンボンドを発行し、電気自動車向けモーターの製造に関連する設備投資・研究開発として1,000億円を調達しました。その背景には、世界の総発電量の約38%が石炭火力で、世界で使用される総電力使用量の半分をモーターが消費している現実があります。同社はCO_2の直接排出をほぼゼロに抑えるトラクションモーターを開発することで地球温暖化の抑制に貢献したいと考えているのです。

今後はSDGs達成へ貢献することに結びつく金融商品がますます増えそうです。

国際協力機構(JICA)
技術協力、有償資金協力(円借款)、無償資金協力の援助手法を一元的に担う、総合的な政府開発援助(ODA)の実施機関である独立行政法人国際協力機構のこと。略称はJICA(ジャイカ)。

Column

サステナブルファイナンス大賞・城南信用金庫の取り組み

金融の世界でも サステナブルがトレンドに

金融の世界では「グリーンボンド」「ソーシャルボンド」「サステナビリティボンド」など、使用目的を明確にしたお金を流通させることで、サステナブルな社会づくり貢献しようとする動きが活発になっています。

このような「サステナブルファイナンス」は、民間の資金力を必要とするSDGsの達成のカギを握る重要なファクターのひとつといえます。

環境問題を金融的手法で解決する「環境金融」の普及・啓発活動を行う一般社団法人環境金融研究機構（RIFF）は、国内の金融機関のほか、サステナブルな資金調達を目指す企業、サステナブルな資金循環を目指す地方自治体や関係機関などを対象に、毎年、「サステナブルファイナンス大賞」を発表しています。2015年に始まったこの表彰制度では、日本の環境金融やサステナブルファイナンスの発展に貢献した金融機関などを選定・表彰しています。

2020年1月に受賞式が行われた2019年第5回サステナブルファイナンス大賞では、東京都や神奈川県を地盤に店舗網を展開する城南信用金庫が地域金融機関として初めて大賞に選ばれました。

同金庫は、2011年の東京電力福島第一原発事故を契機に再生可能エネルギーに向けた、以下のような金融商品を積極的に開発・展開して、ESG投融資推進をしました。

- 節電・新エネルギー推進ビジネスローン「エナジーシフト」
- 省電力・省エネルギーのための「節電プレミアム預金」
- 省電力・省エネルギーにつながる設備投資用個人向けローン「節電プレミアムローン」

また、2018年には国内金融機関で初めて事業電力の再エネルギー100%を目指す「RE100（イギリスのNGO団体であるThe Climate Groupが国際的NPOであるCDPと連携して運営する企業の自然エネルギー100%を推進する国際ビジネスイニシアティブ）」に加盟。2019年5月には、「RE100」に加盟する国内企業では初となる100%再生可能エネルギーによる事業活動を達成しています。

こうした取り組みが「サステナブルファイナンスのリード役」として評価されたのです。

Chap

6

SDGs経営を行う企業・自治体に学ぶ

SDGsに取り組むといっても、

その取り組みは一様ではありません。

すでにSDGsに取り組んで成果を挙げている企業が

どんなことをしているかを知ることができれば、

自社がどんな取り組みを行うべきか、

どんなことができるのかを見きわめる参考になります。

SECTION 01

ジャパンSDGsアワードとは?

日本政府が表彰する「ジャパンSDGsアワード」

SDGs 達成に向けて取り組もうとしたときに参考になるものがあれば、より具体的にどう取り組むのかをイメージしやすくなります。そのときに参考になるのが、「ジャパン SDGs アワード」を受賞した企業や団体の取り組みです。

「ジャパンSDGsアワード」を参考にする

ジャパン SDGs アワードとは、内閣総理大臣を本部長とする SDGs 推進本部が SDGs 達成に貢献する優れた取り組みを行う、日本に拠点がある企業・団体（NPO・NGO、地方自治体、学術機関、各種団体など）を表彰するもので、2017 年に第 1 回が開催されて以来、毎年行われています。

最も優れた取り組みには総理大臣による「SDGs 推進本部長（内閣総理大臣）賞」（1 案件）、SDGs 推進本部長賞には選定されなかったものの、優れた取り組みとされたものは、官房長官と外務大臣による「SDGs 推進副本部長（内閣官房長官）賞」「SDGs 推進副本部長（外務大臣）賞」（それぞれ 1 ～ 3 案件）が授与されます。そのほかの特筆すべき功績があったと認められる企業・団体については、「SDGs パートナーシップ賞（特別賞）」が授与されます。特別賞が授与される数は決まっていませんが、すでに実施された第 3 回までを見ると毎年 6 ～ 8 の案件が受賞しています。

その評価は、日本政府が示した SDGs 実施指針における 5 つの主要原則（P.26）である「普遍性」「包摂性」「参画型」「統合性」「透明性と説明責任」に基づいて行われます。

「ジャパン SDGs アワード」を受賞した取り組みは、SDGs に取り組むうえで示唆に富むものばかりですので、本章では第 1 回～第 3 回の SDGs アワードを受賞した企業・団体から 10 事例を紹介していきます。

第1回～第3回「ジャパンSDGsアワード」で受賞した取り組み

第3回ジャパンSDGsアワード（2019年12月20日発表）	
SDGs推進本部長（内閣総理大臣）賞	魚町商店街振興組合→P.164
SDGs副本部長（内閣官房長官）賞	大阪府
	「九州力作野菜」「果物」プロジェクト共同体
SDGs副本部長（外務大臣）賞	NPO法人TABLE FOR TWO International
	株式会社富士メガネ→P.172
SDGsパートナーシップ賞（特別賞）	日本リユースシステム株式会社→P.166
	徳島県上板町立高志小学校→P.176
	大牟田市教育委員会
	公益社団法人日本青年会議所
	株式会社大和ネクスト銀行
	そらのまちほいくえん

第2回ジャパンSDGsアワード（2018年12月21日発表）	
SDGs推進本部長（内閣総理大臣）賞	株式会社日本フードエコロジーセンター→P.158
SDGs副本部長（内閣官房長官）賞	日本生活協同組合連合会
	鹿児島県大崎町→P.174
	一般社団法人ラ・バルカグループ
SDGs副本部長（外務大臣）賞	株式会社LIXIL
	NPO法人エイズ孤児支援NGO・PLAS
	会宝産業株式会社→P.168
SDGsパートナーシップ賞（特別賞）	株式会社虎屋本舗→P.170
	株式会社大川印刷→P.160
	SUNSHOW GROUP
	株式会社滋賀銀行→P.162
	山陽女子中学校・高等学校地歴部
	株式会社ヤクルト本社
	産科婦人科舘出張 佐藤病院
	株式会社フジテレビジョン

第1回ジャパンSDGsアワード（2017年12月26日発表）	
SDGs推進本部長（内閣総理大臣）賞	北海道下川町
SDGs副本部長（内閣官房長官）賞	特定非営利法人しんせい
	パルシステム生活協同組合連合会
	金沢工業大学
SDGs副本部長（外務大臣）賞	サラヤ株式会社
	住友化学株式会社
SDGsパートナーシップ賞（特別賞）	吉本興業株式会社
	株式会社伊藤園
	江東区八名川小学校
	国立大学法人岡山大学
	公益財団法人ジョイセフ
	福岡県北九州市

※赤字は本書で説明している事例

SECTION 02

ジャパンSDGsアワード受賞企業から学ぶ①

循環型社会の実現を目指す「日本フードエコロジーセンター」

食品ロスの削減は、食料自給率が低い日本にとって取り組みべき重要な問題です。その食品ロスに着目した取り組みで、「第２回ジャパン SDGs アワード」で SDGs 推進本部長（内閣総理大臣）賞を受賞した「日本フードエコロジーセンター」の取り組みを見ていきます。

食品ロスをさまざまな問題の解決に貢献

日本の食品由来の廃棄物は 2,759 万トン（2016 年度推計）で、自治体が１トンを焼却処理するのに約４万円～５万円のコストがかかり、その半分以上が税金で賄われています。世界には飢餓で苦しむ人がいるのに、日本人は人間の食料になるトウモロコシなどの穀物をエサとして大量消費した家畜の肉を、少なからず食品ロスにしているという現実があります。

日本フードエコロジーセンター（J.FEC）は、関東近郊の 180 以上の事業所から食品残渣（ざんさ）を受け入れ、それを元に養豚用のリキッド・エコフィード（食品残渣から製造された液体飼料）を製造して、主に関東近郊の契約養豚事業者に提供する従業員 35 名（パートタイマーを含む）の中小企業です。

食品残渣（ざんさ）
飲食店、スーパーなどから出る食べ残し、売れ残り、消費期限切れの食品、食品加工など食品製造業の生産ラインで生じた食品くずなどのこと。

エコフィードは通常の輸入飼料（トウモロコシ、こうりゃんなど）の半分以下の価格のため、畜産農家の経営体質強化に貢献するだけでなく、日本の飼料自給率の向上にも貢献します。

また、販路の確保に契約養豚事業者や食品関連事業者と連携して、食品残渣由来のエコフィードで育った豚の肉のブランド化に取り組み、百貨店やスーパーでブランド豚肉として販売するなど、循環型のビジネスモデルを構築しています。

同社のエコフィード事業の循環型ビジネスモデルは、食品ロスを飼料にすることを通じて、CO_2の削減や日本の食料自給率向上、世界の食糧不足の解消など、さまざまな問題の解決を実現する、きわめて SDGs 的な取り組みといえます。

日本フードエコロジーセンターのSDGsへの貢献とビジネスメリット

ブランド豚肉

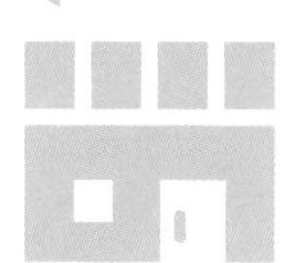

- 循環型社会の実現
- 環境負荷の軽減

契約養豚業者

食品関連業者
（スーパー、コンビニなど）

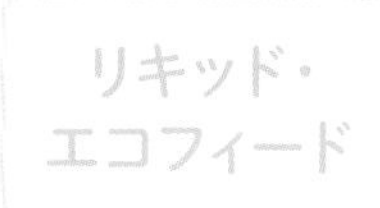

食品残渣
（食品ロス）

日本フードエコロジーセンター

SDGsに取り組んだメリット

- 食品関連業者と養豚業者の双方から収益を得る新しいモデルを構築
- 社会貢献する実感が従業員のモチベーション向上に
- 多くの企業との連携が新ビジネスを創出する好循環を生む

貢献する目標

SECTION 03

ジャパンSDGsアワード受賞企業から学ぶ②

SDGsで従業員の士気高揚を実現「大川印刷」

神奈川県横浜市に第2回ジャパンSDGsアワードで「SDGsパートナーシップ賞（特別賞）」を受賞した印刷会社があります。「環境印刷」に取り組んだことで高付加価値化に成功し、中小企業ながらさまざまな企業とのコラボ商品を開発するなど事業の幅を広げています。

「環境印刷」の取り組みで高付加価値化を推進

神奈川県横浜市にある大川印刷は、「環境印刷」をキーワードに「The Social Printing Company（社会的印刷会社）」を標榜し、積極的にSDGsに取り組むことで知られる中小企業です。

同社は全社員にSDGs教育を実施し、従業員主体で課題を解決するプロジェクトチームを立ち上げてSDGsを推進していることで知られるSDGsの先進企業です。従業員からのボトムアップ型でSDGs経営戦略を策定し、「本業での社会的課題の解決こそが使命」として事業活動を行っています。

「ゼロカーボンプリント」を展開する国内唯一の印刷会社で、FSC森林認証紙を積極的に使うことで違法伐採防止に貢献するほか、2017年には工場の使用電力を自然エネルギー100%に切り替える「再生可能エネルギー100%印刷プロジェクト」をスタートしています。

また、障害者支援活動、RE100へ参加するほか、SNSやホームページで取り組みを積極的に発信するなど、SDGsの普及にも注力。企業や大学とコラボレーションして、環境負荷が少ない方法で印刷されたカレンダーや包装紙、カタログなどの商品開発を行うなど、他社との差別化、高付加価値化に結び付けています。

SDGsに取り組んだ最大のメリットは、「従業員が元気になった」ことだといいます。従業員が本業とSDGsを自分ごととして考える風土をつくったことで、一過性ではない持続的な取り組みとして社内に浸透させ、社内に活力をもたらしています。

ゼロカーボンプリント
印刷事業により排出されるCO_2などの温室効果ガスを算定し、その全量を森林育成などで相殺するカーボン・オフセット（相殺）を行うという考え方。

RE100
The Climate GroupとCDPによって運営される企業の自然エネルギー100%を推進する国際的イニシアチブ。使用電力の100%を再生可能エネルギーで賄うことを目指す企業が加盟する。

大川印刷のSDGsへの貢献とビジネスメリット

取り組みの概要

環境	人権	労働慣行
●CO_2ゼロ印刷 ●石油を使わないノンVOCインキ使用 ●FSC森林認証紙を使用 など	●社外通報制度 ●メディアユニバーサルデザイン教育 ●障害者との協働作業体験	●高齢者の雇用 ●社内セミナーの継続実施 など

公正な事業環境	消費者課題	コミュニティへの参画・発展
●横浜型地域貢献企業認定 ●全印工連CSR認定	●社内外通報窓口の設置 ●環境ラベル表示の徹底 など	●インターンシップ生の受け入れ ●横浜市地球温暖化対策推進協議会 ●WE21ジャパン など

出所：環境省「すべての企業が持続的に発展するために－SDGs活用ガイド－」より作成

SDGsに取り組んだメリット

- 主体的に価値を生む風土を醸成。従業員のモチベーションが向上
- インターンシップ受け入れで注目度が上がり、新卒採用にプラス効果
- SDGsに貢献する印刷物への注目が高まり、新規受注増&売上アップ

貢献する目標

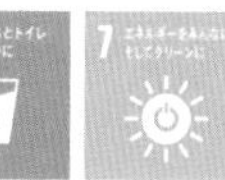

SECTION 04

ジャパンSDGsアワード受賞企業から学ぶ③

融資で地域創生と環境保護に貢献「滋賀銀行」

SDGs を達成するために「金融」の役割が小さくないことは、第 5 章でも触れたとおりです。ここでは第 2 回 SDGs アワードで「SDGs パートナーシップ賞」を受賞した、滋賀銀行の取り組みから、金融機関が SDGs の達成にどのように貢献するのかを見てみましょう。

融資や投資でSDGsに貢献することもできる

「企業は社会に対して役立つものではなくてはならない」との考えのもと、慈善活動ではなく本業での CSR 活動に注力してきた滋賀銀行は、2017 年 11 月に「しがぎん SDGs 宣言」をしました。

社会的課題解決を起点とするビジネスを推進する同行は、地方銀行として初めて SDGs に貢献する新規事業に対して最大 0.3% の金利優遇をした融資商品を取り扱ったことで知られています。

そのひとつの例が、将来性や地域活性化を評価した、水質浄化技術を活用するトラフグやヒラメの陸上養殖事業を行うアクアステージ社に対する融資です。他の地域金融機関などと設立した6次産業化ファンドを通じて出資も行うなど、地域創生と環境保護の同時実現に貢献。このほかにも滋賀県湖南市と地元企業の官民協力で設立された地域新電力会社に共同出資するなど、地域活性化に寄与する案件に積極的に関与する姿勢が注目されています。

地域新電力会社
電気の地産地消を目標にした地域密着型の電力小売業者のこと。地域の資金を地域内で循環できる取り組みとしても期待が高まっている。

2019 年 7 月には、以前から開催していた「エコビジネスマッチングフェア」を「しがぎん SDGs ビジネス・マッチングフェア」に改称して開催し、社会的課題解決型ビジネスを展開する企業を側面支援する取り組みも行っています。

地方が衰退するなかで、SDGs への貢献度が高い新しいビジネスに投融資を行うことで地域産業の育成に寄与すれば、SDGs への貢献度アップ、地域の活性化、融資額増加を同時実現する好循環を生み出せます。同行の取り組みは地域金融機関の果たす重要性、地方銀行が生き残るひとつの方法を示しているといえます。

滋賀銀行のSDGsへの貢献とビジネスメリット

取り組みの概要

アクアステージ社

□水質浄化技術を使った陸上養殖で収益源を獲得
□水使用量の抑制で、コストを3分の1に削減
□陸上養殖のニーズ拡大で売上増加の期待大

地域活性化による効果 → **経済・社会への効果**

□琵琶湖の水を活用した新産業や地域特産品（淡海トラフグ）を創出

環境配慮による効果 → **環境への効果**

□水質浄化技術により排水が不要。周辺環境への負荷を軽減
□陸上養殖という安定的な食糧供給を実現。食糧危機対策に貢献
□水使用量の抑制で渇水時の水不足の際に貢献

滋賀銀行 → 融資 → アクアステージ社

経済・社会への効果 → SDGsの達成に貢献 → 滋賀銀行

環境への効果 → SDGsの達成に貢献 → 滋賀銀行

出所：環境省「事例から学ぶESG地域金融のあり方」より作成

SDGsに取り組んだメリット

- 排水で周辺環境を悪化させることによる取引先の事業停止リスクを回避
- 水使用量抑制で水道料金の削減効果や水不足耐性の強化で取引先の価値向上
- 食糧危機や海洋汚染問題から陸上養殖へのニーズが拡大すれば取引先の売上増加

貢献する目標

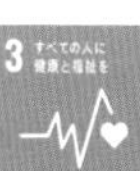

SECTION 05

ジャパンSDGsアワード受賞企業から学ぶ④

SDGsで活性化に成功した商店街「魚町商店街振興組合」

第3回ジャパンSDGsアワードで「SDGs推進本部長賞（内閣総理大臣賞）」を受賞した「魚町商店街振興組合」は、商店街を「学び」「情報発信」「社会貢献活動の実践」の場として捉え直すことで若者を呼び戻して、新たな魅力を生むことに成功しています。

食品ロスなどさまざまな問題の解決に貢献

福岡県北九州市は、2018年4月にOECD（経済協力開発機構）によりアジア初の「SDGs推進に向けた世界のモデル都市」の認定を受けました。これをきっかけに日本初のアーケード商店街として知られる「魚町銀天街」を運営する「魚町商店街新興組合」は、2018年に商店街として「SDGs宣言」を行いました。全国の地方の商店街と同様に来訪者の減少に直面していましたが、「SDGs宣言」後にさまざまな取り組みを本格化させました。

社会的包摂の観点から、ホームレス自立支援・障害者自立生活支援などの活動を行ったり、環境保護の観点から飲食店などと協力して食品ロスの削減、規格外野菜の販売、地産地消の推進、太陽光パネル設置して商店街の電力として活用するなどの取り組みを行いました。商店街内の20軒の遊休不動産をリノベーションして若手起業家やワーキングマザーのために整備。子ども向けのSDGs講座、商店街内に「北九州ESDステーション」を設置し、北九州ESD協議会や市民団体・NPO・大学などによるESD、SDGsに関する講座を開くなど、商店街の将来を担う人材を育成する学びの場の役割も果たしています。

こうした一連の取り組みは、さまざまな人が商店街に集まる動機付けになり、商店街を歩く人の数が3割アップ、500人を超える新たな雇用を生むという効果を生み出しました。地域内の産官学のネットワークも活性化するなど、持続可能な社会を実現する取り組みが商店街の活気を取り戻すことにつながっています。

経済協力開発機構（OECD）
1961年に設立された国際機関。発足当初の加盟国は、アメリカ、イギリス、フランス、ドイツなど20の欧米諸国が参加。日本は1964年に原加盟国以外で初めて加盟した。その後、加盟国は増え、2020年8月現在は、37カ国が加盟している。

ESD
「持続可能な開発のための教育」という意味の英語「Education for Sustainable Development」の略。

魚町商店街振興組合のSDGsへの貢献とビジネスメリット

取り組みの概要

《2018年》SDGs宣言／SDGs商店街を目指す

- 太陽光パネルを設置して商店街の電力として活用
- 飲食店と協力して食品ロス削減を推進
- 企業・NPO・大学などと連携しSDGsイベントを開催
- ホームレス・障害者の自立支援
- 規格外野菜の販売で地産地消を推進
- 子どもを対象としたSDGs講座を実施
- 中心市街地をリノベーションして若者の新規出店を喚起

SDGsに取り組んだメリット

- 日本で最初の「SDGs商店街」として知名度がアップした
- さまざまな取り組みがさまざまな世代の来訪者増につながった
- 商店街が活性化したことで500人超の新規雇用を生んだ

貢献する目標

SECTION 06

ジャパンSDGsアワード受賞企業から学ぶ⑤

古着とワクチンを結び付けた「日本リユースシステム」

第3回ジャパン SDGs アワードで「SDGs パートナーシップ賞（特別賞）」を受賞した日本リユースシステムは、「古着の有効活用」が途上国へのワクチン寄付、国内の障害者の雇用創出、途上国の雇用創出などにつながる仕組みを構築して SDGs の達成に貢献しています。

国内古着を回収して途上国にワクチンを寄付

日本の家庭で回収した不要となった古着を開発途上国へ送り、誰かに使ってもらう（リユース）だけでなく、開発途上国の子どもたちにポリオワクチンが届けることができる「古着 de ワクチン」というビジネスを行うのが「日本リユースシステム」です。

その具体的な仕組みは、古着を整理したい人が専用回収キットを購入。その購入代金からワクチン代金が捻出され、認定ＮＰＯ法人世界の子どもにワクチンを日本委員会を通じて、専用回収キットひとつにつき５人分のポリオワクチンが寄付されるというもの。専用回収キットの封入・発送作業は福祉作業所に依頼しており、障害者の雇用創出に貢献しています。

古着を専用回収キットに詰めて集荷に来てもらうだけで、片づけと社会貢献ができる取り組みやすさと、捨ててしまうことに罪悪感のある人でも「誰かに使ってもらえる」ことから利用しやすくなっています。

開発途上国に送られた古着は現地で安価で販売するため、現地でビジネスと雇用を生むことにも貢献しています。

2010 年 11 月の活動開始から 2020 年 8 月 1 日までに、累計で約 2,115 万着分の衣類を再利用し、約 262.7 万人分のワクチンの寄付を実現。約 10 年にわたって事業を継続したきたことは高く評価されています。「不要になった衣類を捨てずにリユースにする」ことで社会貢献する動きは広がっており、同社の活動は社会の啓蒙にも一役買っています。

ポリオ
一般に「小児まひ」とも呼ばれ、ポリオウイルスによって発生する疾病のこと。主に感染した人の便を介して感染し、5 歳以下の子どもがかかることが多い。手足や呼吸する筋肉などに作用して麻痺が生じ、後遺症を残すこともある。成人がかかると、死亡率が高くなる。WHO は、2000 年に日本を含む西太平洋地域での根絶宣言を出している。

日本リユースシステムのSDGsへの貢献とビジネスメリット

取り組みの概要

古着deワクチン ⟷ 福祉作業所で専用回収キットの製造・封入・発送（障害者の雇用）

申し込み → 古着deワクチン専用回収キットの集荷

↓

日本リユースシステム（古着deワクチン運営会社）

- 仕分け・選別 → 開発途上国へ輸出
  - ↓ 現地にて選別・販売（現地の人を雇用）
  - 現地の売上の一部をワクチン寄付 →（1口につき5人分のワクチンを…へ）
- 1口につき5人分のワクチンを「認定NPO法人世界の子どもにワクチンを日本委員会」に寄付
  - ↓ ミャンマー・ラオス・ブータン・バヌアツへワクチンを寄付

SDGsに取り組んだメリット

- 日本で回収した古着を開発途上国のワクチン寄付に結びつけた
- 日本の障害者、開発途上国の雇用を生み出すことができた
- 同社の取り組みが評価され、さまざまな協業を実現した

貢献する目標

SECTION 07

ジャパンSDGsアワード受賞企業から学ぶ⑥

静脈産業の世界的企業として活躍「会宝(かいほう)産業」

石川県金沢市に自動車解体業から自動車リサイクル業へ事業を発展させ、循環型社会を目指して世界を股にかけて活躍する中小企業・会宝(かいほう)産業があります。第2回SDGsアワードで「SDGs推進副本部長（外務大臣）賞」を受けた同社の取り組みを見ていきます。

取り組みが評価され知名度アップ。人材獲得に効果

人体の血管にたとえると、モノを製造する「動脈産業」、ゴミ・産業廃棄物などの回収と再利用をする「静脈産業」に分けることができます。会宝産業は世界約90カ国とネットワークを持つ使用済み自動車の解体や中古車・部品の販売を手がける静脈産業の世界企業として知られています。

もともとは自動車解体業者でしたが、クウェートの中古部品買い取り業者との出会いをきっかけに、中古部品の海外輸出に目をつけ、差別化戦略の一環として有望市場である途上国に事業展開を始めました。経済産業省、環境省、JICA、JETRO、海外の現地政府・大学機関などと協力しながら、静脈産業がまだ未成熟な国々に、日本の環境配慮型の自動車リサイクル事業を展開することでSDGsに貢献しながら業容を拡大。自動車部品リサイクル事業を世界各国で展開して現地の雇用創出しながら、使用済み自動車の不適切な処理による土壌汚染、廃プラスチック・タイヤなどの投棄・野焼きによる環境汚染防止に貢献しています。

同社は事業内容をSDGsにリンクさせることで、より大きな注目を集めました。知名度アップ・イメージアップにつながり、それが環境・人権への意識が高い若い世代に共感され、採用活動にも好影響を与えているといいます。

国連開発計画(UNDP)が主導する「ビジネス行動要請(BCtA)」への加盟を中小企業ながら日本で11番目に承認されるなど、世界をフィールドに活躍の場を広げています。

JETRO
独立行政法人日本貿易振興機構（ジェトロ）のこと。海外の市場調査、国際見本市の開催、輸入促進への協力などを行う。

ビジネス行動要請(BCtA)
Business Call to Actionのことで、2008年に発足したグローバルな会員ネットワーク。長期的視点で商業目的と開発目的を同時に達成できるビジネスモデルを模索し、企業がそのようなビジネスモデルと企業のコアとなる技術を適用しながら、貧困層の成長を活性化させ、持続可能な開発目標(SDGs)の達成を促進することを目的としている。

会宝産業のSDGsへの貢献とビジネスメリット

取り組みの概要

- 自動車リサイクルを通して、「持続可能な消費と生産」「すべての人々に働きがいのある人間らしい雇用」を促進するため、各国政府や現地企業家とのパートナーシップを形成し、資源循環型社会構築を目的に活動

- ブラジル、インド、マレーシア、ケニアにおいて、自動車リサイクル政策の立案サポート、現地リサイクル工場設立による環境に配慮した自動車リサイクルのバリューチェーン構築と現地雇用の創出に取り組む

- 使用済み自動車の処理が適切に行われないことによる土壌汚染、廃プラスチック、タイヤなどの投棄・野焼きによる環境汚染の防止に貢献

SDGsに取り組んだメリット

- 企業イメージ、知名度が大きく向上した
- 知名度向上により優秀な人材を集めやすくなった
- 途上国で環境配慮型の自動車リサイクル事業を展開し業容拡大

貢献する目標

SECTION 08

ジャパンSDGsアワード受賞企業から学ぶ⑦

事業と地域の活性化を同時実現「虎屋本舗」

約400年の歴史を誇る虎屋本舗は、広島県と岡山県で11店の直営店を展開する老舗和菓子・洋菓子店です。SDGsにいち早く取り組み、第2回SDGsアワードで「SDGsパートナーシップ賞(特別賞)」を受賞しています。

地域貢献が自社へのメリットにつながる好循環

虎屋本舗はどら焼きが人気の老舗和菓子・洋菓子店で、広島県と岡山県で11の直営店を展開しています。

同社は地元イベントへの協賛やインターンシップの受け入れ、地域清掃などの社会貢献活動に積極的ですが、なかでも注目されているのは、若手と熟練の菓子職人を瀬戸内の離島の学校や山間部の障害者支援学級、高齢者福祉施設などに派遣して、地域の子どもや高齢者に教える「和菓子教室」と、高齢の同社技術者や地元生産者が、地域の子どもたちへワークショップや商品開発といった価値創造の場を提供する「瀬戸内和菓子キャラバン」の取り組みです。

子どもたちに和菓子教室を通じて郷土文化や伝統技能を伝えるほか、「瀬戸内和菓子キャラバン」では、地元の高校で「地域活性化・地域貢献」をテーマにした授業を実施して、地元の名産品を使った新しい商品を開発。実際に販売するまでこぎつけています。

これらの取り組みをSDGsと関連づけて発信すると、地域の共感を呼んで注目度がアップしました。特産品を使った商品は地域ブランディングにつながるだけでなく、虎屋本舗のブランド力向上や新商品開発の活性化というメリットをもたらしました。

この事例は、中小企業でも時代の変化に合わせてチャレンジすることで、地域に大きなうねりを生み、地域の持続可能性に貢献できることを示しています。その貢献によって社会に必要な存在になることは、企業価値や持続可能性の向上にもつながるのです。

虎屋本舗のSDGsへの貢献とビジネスメリット

取り組みの概要

出所:虎屋本舗資料より作成

伝統文化の継承
(和菓子教室、瀬戸内和菓子キャラバン)

→ **多様性の活用**
(高齢者、女性を積極的に雇用)

→ **新たな地域ブランド創生**
(地域の子どもとのコラボレーションで商品開発)

→ **持続性をもった経済活動**
(地元生産者、地域住民の経済発展)

→ **地域との共生価値**
(新たな地域コミュニティ)

和菓子を通じて郷土文化の世代間継承と地方ブランドを創生

SDGsに取り組んだメリット

- 高齢者、地元の子ども、生産者との協働で新商品が生まれた
- 取り組みが大きく取り上げられ、大きな宣伝効果になった
- 地域から必要な存在とされることで企業価値の向上につながった

貢献する目標

SECTION 09

ジャパンSDGsアワード受賞企業から学ぶ⑧

海外難民などに眼鏡を無償提供「富士メガネ」

第3回ジャパン SDGs アワード「SDGs 推進副本部長（外務大臣）賞」を受賞した富士メガネは、1983 年から海外難民視力支援活動に取り組むなど、長く社会貢献活動を行っており、その活動を自社のビジネスの活力に結びつけています。

感謝されることが、本業の収益につながる好例

富士メガネ（北海道札幌市）は、1983 年のタイにいるインドシナ難民の視力支援を皮切りに、ネパール、アルメニア、アゼルバイジャン、イラクなどで海外難民視力支援活動に取り組み、すでに 16 万 9,446 組の新しいメガネを無償で寄贈してきました。

同社の金井昭雄会長兼社長が 1981 年にインドシナ難民支援団体に依頼され、タイの難民キャンプに 600 組をメガネを送ったことをきっかけに、メガネを送るだけの支援に限界を感じ、1983 年から自ら現地に渡って、その人に合ったメガネを送る活動を始めました。この活動を知った国連難民高等弁務官事務所（UNHCR）は、1984 年から活動を支援するようになり、そのパートナーシップは 37 年たった現在も継続しています。

国連難民高等弁務官事務所（UNHCR）
1951 年に活動を開始した国際連合による難民や国内避難民の保護など難民に関する諸問題の解決を任務とする機関。本部はジュネーブ。1954 年と 1981 年にノーベル平和賞を受賞。1991 年から 2000 年末まで、日本人の緒方貞子氏が代表者である高等弁務官を務めた。

難民支援には同社の役員や社員が休日を使って参加。視力の悪化でさまざまな不便が生じている人々に、その人に合ったメガネを渡すと、とても感謝されるといいます。生の喜びの声は、同社で働く喜びや仕事への誇りになるだけでなく、学習と成長機会になり、本業の高付加価値のサービス提供へと還元されています。また、この活動を支えるための資金の源泉である本業の利益に対する意識も変わり、本業とこの取り組みの好循環を生んでいます。

また、東日本大震災の被災者にメガネを提供するなど、国内の支援活動にも取り組んでいます。こうした一連の取り組みが評価され、第3回「日本でいちばん大切にしたい会社」では大賞を受賞するなど、同社の知名度アップにもつながっています。

富士メガネのSDGsへの貢献とビジネスメリット

取り組みの概要

富士メガネ

募金箱設置

活動の支援

国連難民高等弁務官事務所（UNHCR）

社員派遣
メガネ提供

タイ、ネパール、アルメニア、
アゼルバイジャン
などにいる難民に
メガネを無償提供

のべ195人の
社員を派遣
16万9,446組の
メガネを寄贈
（2019年11月現在）

視力検査
視力に合ったメガネを寄贈

視力が悪化した難民の人たちに
「見える」喜びを与える

感謝の言葉

社員のやりがい、
技術力アップの
モチベーションに

SDGsに取り組んだメリット

- 難民の視力を改善して「見える」喜びを与える
- 感謝の声が社員のモチベーションアップにつながる
- 継続的な活動が知られることでさまざまな連携が生まれる

貢献する目標

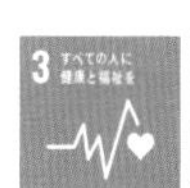

SECTION 10

ジャパンSDGsアワード受賞企業から学ぶ⑨

日本一のリサイクルタウン「鹿児島県大崎町」

鹿児島県の東南部に位置し、志布志湾に面する大崎町は人口約1万3,000人の小さな町。同町のリサイクル事業を中心とした社会・環境・経済をつなぐ取り組みは、第2回ジャパンSDGsアワードで「SDGs副本部長（内閣官房長官）賞」を受賞するなど注目を集めています。

ゴミ処理の悩みが自治体変革のきっかけになった

鹿児島県大崎町は「混ぜればゴミ、分ければ資源」の考え方のもと、27品目ものゴミ分別を行って、行政・企業・住民協働型のリサイクル事業を行っています。この背景には、隣接する志布志市（旧有明町・志布志町）と共同で運営していたごみの埋立処分場が当初の計画よりも早く埋まってしまうことが判明したことでした。そこでごみを分別し、リサイクルすることでゴミの減量化に取り組んだことで、燃やすゴミがなくなり、1人あたりのごみ処理経費は全国平均の半分以下に低減。この「大崎システム」によって、2018年にはリサイクル率82.0%に。2006年以降12年連続で資源リサイクル率日本一を続けています。こうして浮いたお金の一部は同町の奨学金制度に使われています。

この取り組みの効果は、民間のリサイクルセンターの新規雇用創出、ごみ分別によるコミュニケーションを通じた高齢者・定住外国人との多文化共生コミュニティ形成という社会面での変化にもつながりました。

また、2012年から3年間、インドネシア・デポック市の廃棄物を減らすことを支援する事業に取り組んだほか、リサイクルできない18.0%のゴミの3分の1を占める紙おむつの再資源化実証実験を紙おむつメーカーと共同で進めるなど、取り組みが知られるにつれ、外部とのパートナシップも活発化しています。.

この事例は、地域が抱える問題を新しいアイデアで解決することがさまざまな波及効果を生むことを示す好例といえます。

鹿児島県大崎町のSDGsへの貢献とメリット

取り組みの概要

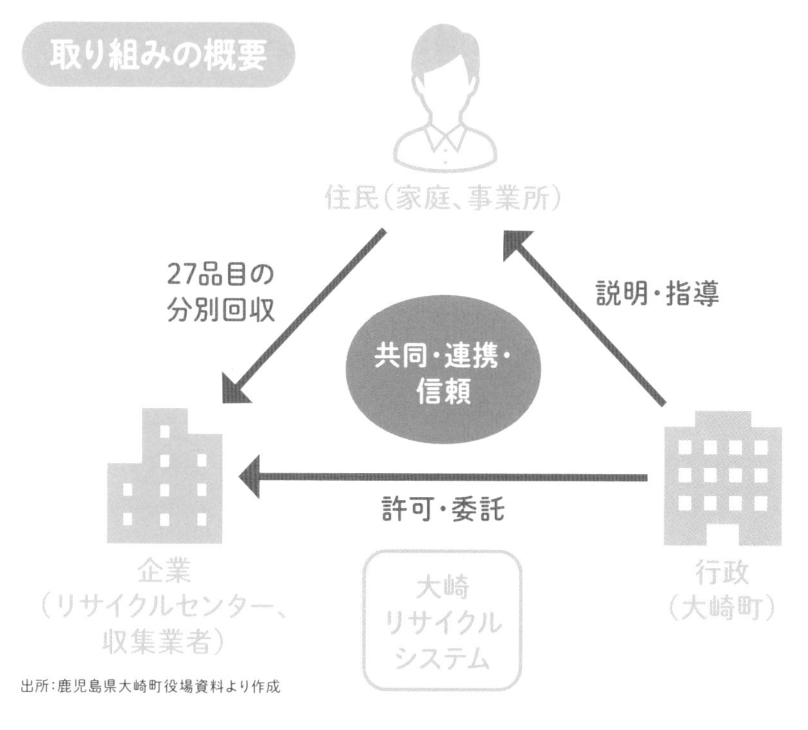

出所：鹿児島県大崎町役場資料より作成

SDGsに取り組んだメリット

- リサイクルセンターにおける40名の新規雇用の創出
- ごみ出し困難者を対象にした相互補完型安否確認の実施
- 再資源化による総額1億3,000万円の売却益

貢献する目標

SECTION 11

ジャパンSDGsアワード受賞企業から学ぶ⑩

ESDに積極的に取り組む「徳島県上板町立高志小学校」

徳島県上板町立高志小学校では、地域社会の協力を得ながら、子どもたちにエシカル消費推進のため消費者教育を実践してきました。その取り組みが認められて、第３回ジャパンSDGsアワードで、同校は「SDGsパートナーシップ賞」を受賞しています。

将来の人材を育てるための小学校の取り組み

徳島県上板町立高志小学校は、2017年度から「経済発展と働きがいのある仕事」「産業・技術革新・社会基盤」「格差の是正」「持続可能なまちづくり」「持続可能な生産と消費」を中心的なテーマとしてESDに本格的に取り組み始めました。

より実践的な教育機会にするため、企業・NPO・徳島県庁・町学校給食センターなどと連携して、地域資源を活用しながら実践的な内容の学習を行っています。

全学年で環境などに配慮したエシカル消費推進のため消費者教育を実践するだけでなく、保護者とともに学習する機会も設定して、保護者の意識を変えることにも挑戦しているといいます。

同校では各学年ごとにテーマを決め、さまざまな視点からSDGsに貢献できることを学んでいきます。

たとえば、2年生は農家の指導を受けながら、パプリカ・トマト・なすなどを栽培し、自分たちで育てた野菜を使ったピザをつくりました。ピザ生地には地元・徳島産小麦粉を使うなど、「地産地消」「フードマイレージ」「食品ロスゼロ」について学んだといいます。

同校の取り組みの第一義的な目的は、持続可能な社会をづくりの担い手になる子どもたちの教育ですが、子どもたちの親や地域の人々を巻き込みながら、大人たちにもSDGsについて考える機会を与えていることも見逃せない意義となっています。小学校が拠点になって地域のSDGs教育と地域振興を同時実現するこの取り組みは、地域活性化のひとつの形を提示しています。

フードマイレージ
「食料輸送距離」のこと。地球環境に与える負荷に着目した考え方で、なるべく近いところから食料を仕入れることで、輸送にともなって排出される二酸化炭素が少なくできると考える。フードマイレージを小さくできる「地産地消」は、その観点から近年注目されるようになっている。

徳島県上板町立高志小学校の取り組みの概要とメリット

取り組みの概要

	《1学期》	《2学期》	《3学期》
1年生	つくって食べよう／ ●学校園でさつまいも栽培（農家の方に学ぼう）	●さつまいものお菓子作り（給食センター栄養教諭に学ぼう）●冬野菜（カブ）を栽培しよう	学んだことを伝えよう／ ●食べることは生きること（JAの方に学ぼう）
2年生	校区探検（校区で頑張っている人と出会い、幸せを感じよう）●校区の農家訪問（人参農家、酪農家）●学校園で夏野菜栽培、ピザづくり（野菜名人さんに学ぼう）●幸せギフトプロジェクト・クリスマスプロジェクト（ケーキ職人さんに学ぼう）		学んだことを伝えよう／ ●幸せギフトプロジェクト ●夏野菜プロジェクト
3年生	校区探検（つくる責任を担っている人から学ぼう）●校区の農家、養鰻業者、漬け物工場訪問・地産地消プロジェクト ●つくる人の工夫、願いを知り、使う責任を考えよう ●地域環境保護（水・土）の重要性を提案しよう		学んだことを伝えよう／ ●高志の素敵発信プログラム ●環境保護プログラム
4年生	REUSE ●自然体験学習で環境保護に挑戦 ●学校園で藍の栽培・藍の刈り取り・草木染めに挑戦 ●服のチカラプロジェクトに参加（地域の方の協力を得て子ども服を集め、世界の難民の子どもに送ろう） 学んだことを発信しよう／ ●環境保護プロジェクト		
5年生	阿波藍（JAPAN BLUE）の6次産業に挑戦・世界に発信 ●6次体験（藍の栽培、刈り取り、こなし、寝せ込み（すくもづくり）、縫製、デザイン、染め、販売）●探究学習（阿波藍のよさ、エシカル消費、JAPAN BLUE） 学んだことを発信しよう／ ●JAPAN BLUE 発信プロジェクト ●地域創生プロジェクト		
6年生	校区のブランド豚（金時豚）から全国にエシカル消費を発信しよう ●養豚体験（養豚場見学・えさやり ●肥育学習）・エシカル企業見学・養豚体験第二段 ●探究学習（金時豚リサーチ、地産地消、エシカル消費って何）●地産地消体験（地産地消レストランでの昼食） 学んだことを発信しよう／ ●エシカル消費推進プロジェクト ●地域創生プロジェクト		

SDGsに取り組んだメリット

- 児童が持続可能な社会の実現に関与する必要性を理解
- 教育活動への協力を通じて保護者や地域が活性化
- 児童・教職員が取り組みを発信し、地場産品の普及に寄与

貢献する目標

4 質の高い教育をみんなに
8 働きがいも経済成長も
12 つくる責任つかう責任
13 気候変動に具体的な対策を
17 パートナーシップで目標を達成しよう

Column

神奈川県の「かながわプラごみゼロ宣言」

海岸に打ち上げられたクジラがきっかけで始まった取り組み

プラスチックによる海洋汚染が大きな社会問題になるなか、2018年夏に、神奈川県鎌倉市の由比ガ浜に体長約10mの生後数カ月のオスのシロナガスクジラの赤ちゃんが打ち上げられ、その胃の中からプラスチックごみが発見されました。

神奈川県はこれを「クジラからのメッセージ」として受け止め、2018年9月に「かながわプラごみゼロ宣言」を発表しました。SDGs達成に向け、できるだけ早い段階で、捨てられるプラごみゼロを目指すことで、深刻化する海洋汚染、特にマイクロプラスチック問題に取り組む姿勢を打ち出したのです。

神奈川県は達成に向け、以下の3本柱で取り組みを推進しています。

①ワンウェイプラ（使い捨てプラ）の削減
②プラごみの再生利用の推進
③クリーン活動の拡大等

そして、2020年3月には、「かながわプラごみゼロ宣言アクションプログラム」を公表。ポイ捨てなどにより意図的に環境中に排出されるプラごみを対象に、リサイクルされない廃棄されるプラごみゼロを目指すための以下のような具体的なアクションを策定しました。

・県内の市町村やコンビニ、スーパー、レストランなどの協力のもと、プラスチック製ストローやレジ袋の廃止や回収
・リサイクル率アップのためのペットボトルの「ボトル本体」「ラベル」「キャップ」の3分別の徹底
・海岸を訪れた人へのプラスチックごみの持ち帰りを呼びかけ　など

同時に、県内の学校や企業など「プラごみゼロに向けた取り組み」をテーマとした出前講座などを行うほか、相模湾沿岸に漂着したプラごみの実態調査などを行う方針です。

「かながわプラごみゼロ宣言」に賛同する県内の市町村や企業などは増えています。神奈川県では、官民を挙げてのプラごみをなくすための取り組みが進められています。

Chap

7

世界各国のSDGsの取り組み

世界には200を超える国・地域があり、

SDGsに対する考え方は一様ではありません。

環境保護を重視する国もあれば、経済を第一に考える国もあります。

なかには人権よりも政治体制の維持を優先する国もあります。

さまざまな国があるなかで、地球規模の目標であるSDGsは

現在、どれくらい達成に近づいているのでしょうか。

SECTION 01

新型コロナウイルスが及ぼす影響は？

新型コロナウイルスは、SDGsの進捗に深刻な影響を与えている

新型コロナウイルスが世界中に広がったことで、SDGs の取り組みにも深刻な影響を与えています。2020 年 7 月に公表された「持続可能な開発目標（SDGs）報告 2020」を参考に、どんな弊害があるか見ていきます。

最も脆弱な立場の人々に大きな悪影響を与えた

新型コロナウイルスの世界的大流行によって、2020 年 8 月末時点で、全世界の死者数は約 85 万人、感染者数は 2,500 万人超となり、SDGs の進捗にも悪影響を与えています。

国連持続可能な開発ソリューション・ネットワーク（SDSN：Sustainable Development Solutions Network）と独ベルテルスマン財団が 2020 年 6 月に公表した「持続可能な開発レポート 2020」によると、新型コロナウイルスは、世界の最貧困層など脆弱な立場に置かれた人々に深刻な影響を及ぼしていると警鐘を鳴らしています。

グテーレス国連事務総長は、「新型コロナによる未曽有の保健・経済・社会危機によって、人々の生活と暮らしは脅威にさらされ、SDGs の達成をさらに困難なものにしています」と危機感を募らせ、「その影響は平等ではない。むしろ、すでにあった不平等や不正義を明るみに出し、さらに悪化させている」と述べています。

最も大きな打撃を受けているのが、子どもや高齢者、障害者、移民、難民、最貧困層の人々など、最も脆弱な立場に置かれた人々です。**2020 年には、およそ 7,100 万人が極度の貧困に陥るとみられており、1998 年以来初めて世界で貧困が増加するおそれが出てきています。**

ワクチン開発において世界の国々が協力を深めたり、大気汚染が解消されるなどのプラスもないわけではありませんが、この危機は、右ページのように SDGs の進捗に悪影響を及ぼしています。

国連持続可能な開発ソリューション・ネットワーク（SDSN）
2012 年に潘基文国連事務総長（当時）によって、世界の環境・社会・経済問題の解決および持続可能な社会の実現に向けた方策を模索するとともに、これをグローバルなレベルで共有することを目的として設立されたグローバルなネットワーク。研究機関や大学、企業、市民団体などさまざまな団体が加盟する。

➔ 新型コロナウィルスがSDGsに与える主な短期的な悪影響

目標1

- 失業と経済的封鎖による貧困の増加
- 脆弱なグループ(貧困層など)に対する不均衡な影響

目標2

- 世界的な食料供給と貿易の減少による食料不安
- 収入の減少と封鎖中の食料供給の減少による飢餓
- 輸送の問題と労働力の減少による食料ロスと廃棄物の増加
- 学校給食の中断による栄養不良

目標3

- Covid 19のよる高い発病率と死亡率
- 医療システムへの高負荷による他の疾病の死亡率の上昇
- ロックダウンがメンタルヘルスに与える悪影響(不安とうつ病など)

目標8

- 世界のほぼすべての地域で経済危機
- 貿易の混乱
- 大量失業
- 事業閉鎖・破産
- 観光活動の急激な減少
- 大きな財政赤字

目標10

- 特にセーフティーネットが脆弱な国おける、難民や移民を含む脆弱なグループへの健康と経済への不均衡な影響
- 熟練度が低く、賃金が低い労働力の喪失

SECTION 02

世界が危機的状況だからこそ求められるパートナーシップ

新型コロナは国際連帯の必要性を改めて認識させることになった

世界がより深く結びつき、人やモノの往来が盛んになったことで、リーマンショックや新型コロナウイルスの感染拡大といった危機が世界全体に悪影響を及ぼすようになっています。だからこそ、パートナーシップを重視するSDGsを理解する必要があるといえます。

SDGsに反する米中対立は世界の懸念材料

TikTok
中国のバイトダンス社が開発・運営するモバイル向けショートビデオアプリ。個人情報が中国側にわたるおそれがあるとして、2020年8月時点で、インドではすでに使用が禁止されるなど、反中の国々を中心に使用を禁止する動きが出ている。

アメリカと中国の両大国は、対立を深めています。

新型コロナの問題では、米国はWHO（世界保健機構）が中国寄りだと非難し、2020年7月にはWHOから脱退することを正式に通告しました。また、トランプ大統領は、中国企業が運営する動画共有アプリ「TikTok」が安全保障を脅かすおそれがあるとして米国事業の売却命令を出すなどしています。

中国もアメリカに対抗措置を出し、**世界を親米国と親中国に分ける新しい冷戦のリスクが高まっています。**

こうした分断が起これば、SDGsが目指すパートナシップどころではなく、世界的な紛争に発展するかもしれません。

新型コロナは世界が結束するチャンスになる

新しいウイルスがわずか数カ月で世界中に蔓延したのは、グローバル化が進み、国境を超えた人の往来がかつてないほど活発だったからです。その結果、P.181にあるように広範囲に悪影響が及びました。

こうした世界的危機に直面したことで、世界が結束することも増えています。たとえば、2020年5月には欧州委員会の呼びかけで、イギリス、日本、フランス、サウジアラビアなど30カ国以上が参加した新型コロナウイルスに対するワクチンや治療薬開発に向けたオンライン国際会議が開かれました。残念なことにアメリカやロシアは参加しませんでしたが、各国が総額80億ドル

2020年3月27日のグテーレス国連事務総長の演説（抄訳）

私たちは、経験したことのない地球規模の健康危機に直面しています。それは人的被害を広げ、グローバル経済に影響を及ぼし、人々の生活を一変させています。世界的な景気後退、それも記録的な後退が、ほぼ確実な状態となっています。

これは何よりも、連帯を必要とする人類の危機だといえます。今こそ、世界経済をリードする国々が協調的、決定的かつ革新的な政策的措置を講じる必要があります。私たちは、最貧層や最も脆弱な立場に置かれた人々、とりわけ女性が、最も大きな打撃を受けることを認識しなければなりません。

私たちの世界は共通の敵と対峙しています。私たちはウイルスと戦闘状態にあるのです。

しかし、この危機の管理には、またとない機会もあります。これにうまく対処できれば、私たちは復興をより持続可能で包摂的な道へと誘導できます。しかし、政策の調整を怠れば、すでに持続不可能となっている不平等が固定するか、さらに悪化したり、苦心して獲得した開発の成果や貧困削減が逆戻りしたりしかねません。

私は世界のリーダーに対し、力を合わせ、このグローバル危機への緊急かつ協調的な対策を提示するよう呼びかけます。私たちはこれまでになく、連帯や希望、そしてこの危機を一緒に乗り越えるための政治的意志を必要としているのです。

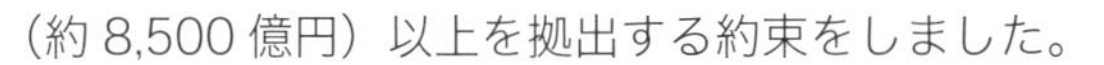
（約 8,500 億円）以上を拠出する約束をしました。

世界が協力すれば、新薬とワクチンの早期開発だけでなく、新型コロナに対処するための効率的な対処法のスピーディーな普及を促進し、早期の解決が可能になるかもしれません。

2020 年 3 月 27 日の会見で、**グテーレス国連事務総長は「連帯」を強く訴え、この危機を持続可能で包摂的な道へと誘導する契機にするチャンスと主張しました。この危機をチャンスに変えることができるかが世界に問われています。**

SECTION 03

世界の進捗状況を俯瞰してみよう

地域別のSDGs達成状況を見るとバラつきが大きい

SDGs が 2015 年に採択されてからすでに 5 年近くの時間が過ぎています。2030 年に向けて、どれくらい進捗しているのでしょうか。2020 年現在、その進捗状況は順調とはいえません。まずは、その現状をエリア別、所得グループ別に俯瞰してみましょう。

サハラ以南アフリカ、低所得国は遅れが大きい

各国の達成状況を見てみましょう。「持続可能な開発レポート 2020」には、166 カ国を評価対象国にした SDGs の達成度ランキングが掲載されています。

右ページをみるとわかるように、「達成できている」を示す緑色は少なく、「達成にはほど遠い」を示す赤色が目立っています。**世界全体の SDGs の進捗は順調とはいえず、「達成できている」と評価されている目標はまだ少ないのが現状**です。

エリア別で見ると、**サハラ以南のアフリカ、オセアニアなど南半球に位置するエリアは、ほとんどの項目で「達成にはほど遠い」状況**であることがわかります。

世界の国々のうち北半球に位置する国々よりも南半球に位置す国々に途上国が多い、いわゆる南北問題が問題になっています。**SDGs の達成度についても南北格差がある**ことが浮き彫りになっており、経済発展の遅れがさまざまな悪影響を与えていることがわかります。SDGs の 17 の目標のうち、目標①が「貧困をなくそう」になっているのは、貧困がさまざまな問題を解決するうえでとても重要だからでしょう。

所得グループの「低所得国」は目標①～⑪までのすべて、「低中所得国」は目標①～⑪までのほとんどが「達成にはほど遠い」です。2030 年に向けて多くの課題があることがわかります。

一方で、日本などの先進国を含む「OECD 加盟国」、「高所得国」だけが、目標①「貧困をなくそう」を達成しています。17 の目

➡ 地域別・所得グループ別のSDGs達成状況

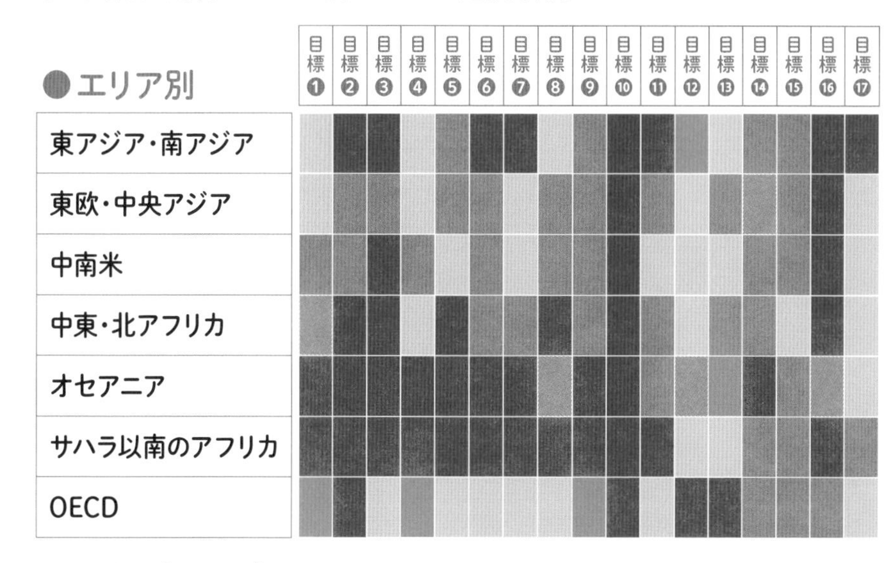

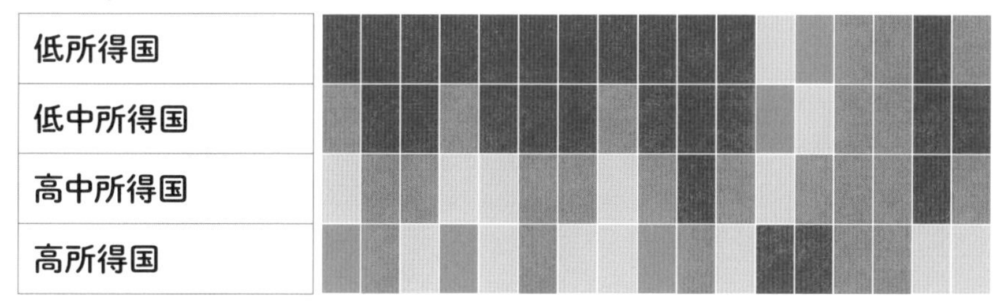

達成できている　達成に近いが課題あり　課題が多い
達成にはほど遠い　不明

出所：SDSN、独ベルテルスマン財団「Sustainable Development Report 2020」

標を見ても、「達成できている」「達成に近いが課題あり」が半数を超えています。

私たち日本人は、当然のことながら日本の達成度を気にするべきですが、SDGsは、「誰一人取り残さない」を目指しています。そして、目標⑰が「パートナシップで目標達成しよう」であるように、地球の住人として、国境を超えた協力が不可欠です。

山積した問題を解決するためにも、自国だけでなく、世界全体の現状を把握しておくことも大切です。

SECTION 04

気になる日本の達成度は何位？

2020年の国別 SDGs達成度ランキング

「持続可能な開発レポート 2020」では、各国の SDGs の達成状況を分析しています。ここでは、SDGs 達成度ランキングで各国の達成状況を見てみましょう。日本はアジアでは最上位ですが、近年、その順位は下落傾向にあります。

北欧諸国がトップを独占、下位はアフリカ諸国

「持続可能な開発レポート 2020」では、166 カ国が評価対象国になっており、国ごとにスコアが算出され、SDGs の達成度をランキングしています。

上位の国を見ると、スウェーデン、デンマーク、フィンランド、フランス、ドイツなどの欧州諸国で占められています。一方、最下位の 166 位は中央アフリカで、下位には、南スーダン、チャド、ソマリア、リベリアといったサハラ以南のアフリカの国々が名を連ねています。

SDGs 指数のスコアが最も上昇したのはコートジボワール、ブルキナファソ、カンボジアでした。一方、ベネズエラ、ジンバブエ、コンゴ共和国といった紛争や内戦、そのほかの経済的・社会的な問題を抱える国々では、SDGs への取り組みが後退した結果、スコアが大きく下落しています。

気になる**日本の順位は、2017 年は 11 位、2018 年と 2019 年は 15 位でしたが、2020 年は 17 位に順位を落としています。**

SDGs はある時点で一度達成しても、その後状況が悪化すれば、評価は下がるため、継続的に問題に取り組むことが必要です。

SDGs は全世界共通の目標です。日本がすべての目標を達成すれば、それで満足するのではなく、誰一人取り残さないために、他国が目標を達成するために協力するパートナーシップも求められています。もちろん、日本が目標を達成するためには、他国の協力が不可欠であるといえます。

SDGs達成度ランキング上位・下位20カ国(2020年版)

順位	国名	スコア	順位	国名	スコア
1	スウェーデン	84.7	147	トーゴ	52.7
2	デンマーク	84.6	148	ザンビア	52.7
3	フィンランド	83.8	149	アンゴラ	52.6
4	フランス	81.1	150	ギニア	52.5
5	ドイツ	80.8	151	イエメン	52.3
6	ノルウェー	80.8	152	マラウィ	52.2
7	オーストリア	80.7	153	シエラレオネ	51.9
8	チェコ	80.6	154	ハイチ	51.7
9	オランダ	80.4	155	パプアニューギニア	51.7
10	エストニア	80.1	156	マリ	51.4
11	ベルギー	80.0	157	ニジェール	50.1
12	スロベニア	79.8	158	コンゴ民主	49.7
13	イギリス	79.8	159	スーダン	49.6
14	アイルランド	79.4	160	ナイジェリア	49.3
15	スイス	79.4	161	マダガスカル	49.1
16	ニュージーランド	79.2	162	リベリア	47.1
17	日本	79.2	163	ソマリア	46.2
18	ベラルーシ	78.8	164	チャド	43.8
19	クロアチア	78.4	165	南スーダン	43.7
20	韓国	78.3	166	中央アフリカ	38.5

出所:SDSN、独ベルテルスマン財団「Sustainable Development Report 2020」

SECTION 05

日本はどれくらい達成できているのか？

日本のSDGs達成度は17位「不平等をなくそう」は悪化

日本は 2020 年の SDGs 達成度ランキングで世界 17 位でした。17 の目標のそれぞれについて達成度とトレンドを見ていくと、大半は目標達成に向かっていますが、なかには「悪化」や「現状維持」で問題解決が進んでいないものがあることがわかります。

日本は2019年から2つ順位を落として17位に

P.186 でも紹介したとおり、**2020 年の日本の SDGs 達成度ランキングは、前年から 2 つ順位を落とし 17 位でした。**では、日本はどう評価されているかを具体的に見ていきましょう。

「持続可能な開発レポート 2020」では、国ごとに 17 の目標の達成状況を「達成できている」「達成に近いが課題あり」「課題が多い」「達成にはほど遠い」の 4 段階で評価しています。

日本は、緑色で表示される「達成できている」が、目標④「質の高い教育をみんなに」、目標⑨「産業と技術革新の基盤をつくろう」、目標⑯「平和と公正をすべての人に」の 3 つのみでした。

一方、「達成にはほど遠い」は、目標⑤「ジェンダー平等を実現しよう」、目標⑬「気候変動に具体的な対策を」、目標⑭「海の豊かさを守ろう」、目標⑮「陸の豊かさも守ろう」、「目標⑰「パートナーシップで目標を達成しよう」と 5 つもありました。

「ジェンダー・ギャップ指数 2020」で、調査対象 153 カ国のうち日本は 121 位だったように、男女の給与格差をはじめとするジェンダー不平等が根強く残っているほか、再生可能エネルギーの割合の低さ、漁業資源の管理など、日本の課題を浮き彫りにしています。

また、このレポートはトレンドも併せて公表します。近年、国内における格差拡大が問題になっていますが、それを証明するかのように、**目標⑩「人や国の不平等をなくそう」は、17 の目標のうちでただひとつだけ「悪化」と評価されました。**

日本の達成度とトレンド

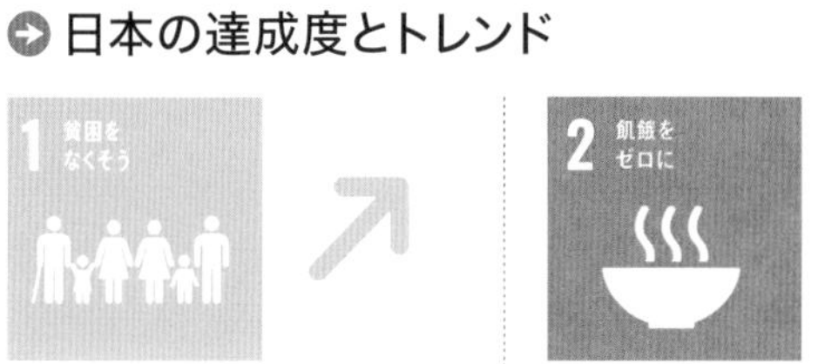

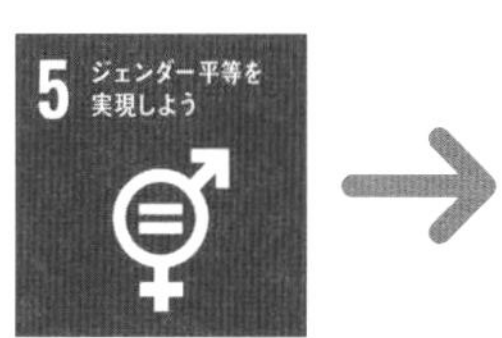

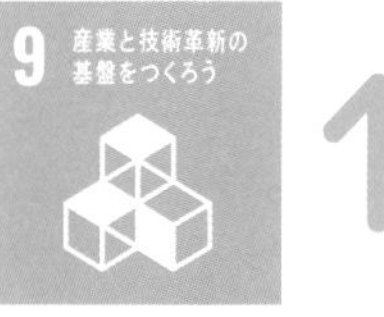

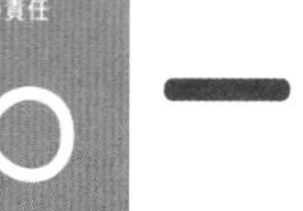

悪化　現状維持　改善　達成もしくは達成予定　不明

出所：SDSN、独ベルテルスマン財団「The Sustainable Development Report 2020」

SECTION 06

超大国のSDGsの取り組みを見てみよう①

SDGs達成度は31位 気になる「アメリカ」の最新動向

SDGsは全世界で達成を目指す目標ですが、やはり影響力の大きい大国の役割は重要です。しかし、トランプ大統領は「アメリカ第一主義」を唱え、とくに自国経済の建て直しを最優先するために、さまざまな国際的な問題への関与を控えるようになっています。

自国優先主義を強め、SDGsに逆行するアメリカ

P.186で紹介した「持続可能な開発レポート2020」では、**アメリカのSDGs達成度は31位**でした。

世界最大の経済大国で、軍事大国でもあるアメリカは、SDGsでも相応の貢献が求められるはずですが、残念ながら、近年は逆行するようにな動きが目立っています。

2017年1月に大統領に就任したドナルド・トランプ氏は、就任演説で「貿易、税制、移民、外交に関するあらゆる決定は、米国の労働者や家族の利益になるようにする」と「アメリカ・ファースト」を宣言しました。

就任直後の2017年6月には、「中国、ロシア、インドは何も貢献しないのに、アメリカが何十億ドルも払う不公平な協定だ」と不満を表明し、地球温暖化対策の国際的な枠組みである「パリ協定」からの離脱を宣言。2019年11月には離脱するための手続きを開始、2020年11月4日に正式に離脱する予定です。また、新型コロナウイルスの対応が、「中国寄り」と非難し、WHO（世界保健機関）から脱退することも正式に通告しました。

SDGsが目標⑰「パートナーシップで目標を達成しよう」を掲げて、世界的な取り組みとしてさまざまなレベルでのパートナーシップを求めているのは、これまでに述べたとおりです。しかし、**最も影響力が大きいアメリカが「自国優先」を強めていることは、**2030年の達成を目指す世界にとって懸念材料になるかもしれません。

パリ協定
1997年に定められた「京都議定書」の後継になる2020年以降の気候変動問題に関する国際的な枠組みのこと。2015年にパリで開かれた温室効果ガス削減に関する国際的取り決めを話し合う「国連気候変動枠組条約締約国会議（通称COP）」で合意されたため、こう呼ばれる。

アメリカの達成度とトレンド

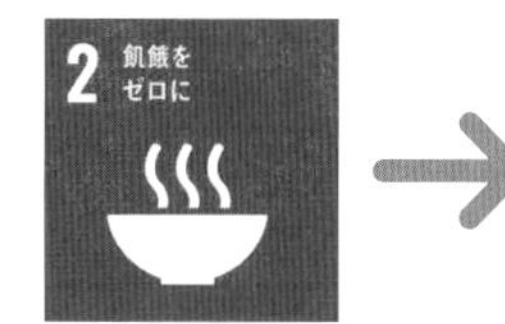

■達成にはほど遠い ■課題が多い ■達成に近いが課題あり ■達成できている

↓悪化 →現状維持 ↗改善 ↑達成もしくは達成予定 ー不明

出所:SDSN、独ベルテルスマン財団「The Sustainable Development Report 2020」

SECTION 07

超大国のSDGsの取り組みを見てみよう②

SDGs達成度48位 気になる「中国」の最新動向

世界第2位の経済大国になった中国は、貧困削減などで大きな効果を上げ、国際協力の分野でも存在感を高めています。一方、香港の民主化運動、新疆ウイグル自治区の独立運動に対して共産党が弾圧や人権侵害を行っている疑いがあり、欧米諸国を中心に非難されています。

習近平
陝西省富平県出身。中国共産党中央委員会総書記、党および国家中央軍事委員会主席、中華人民共和国主席、中央国家安全委員会主席を務める中国の最高指導者。

南南協力
開発途上国のなかで、ある分野において開発の進んだ国が、別の途上国の開発を支援すること。

BATH
中国を代表するIT企業である「バイドゥ(B)」「アリババ(A)」「テンセント(T)」「ファーウェイ(H)」の4社のこと。

期待される中国の「経済力」と「技術革新力」

中国の「SDGs達成度」は48位でした。近年、急速な経済発展によって衛生環境の改善、大学進学率・識字率の向上などの分野で目覚ましい成果を挙げましたが、**過去数十年で約8億人が貧困から抜け出した**のは「人類史上なかったほどの偉大な成果」と称されるほどです。その中国がSDGs達成に積極的な姿勢を内外に示していることは日本ではあまり知られていません。

たとえば、2015年の国連総会で習近平国家主席が発展途上国支援のために20億ドル（当時のレートで約2,400億円）規模の**「南南協力援助基金」の設立を表明するなど、さまざま国際協力に積極的**です。同時に、経済成長のひずみから生まれる大気汚染や海洋汚染などの**国内問題についても中国は切迫感を持って取り組んでいます。**電気自動車（EV）や再生可能エネルギーを国策として積極的に導入することで、国内問題を技術革新につなげ、経済成長とパリ協定履行を両立させる姿勢は、世界経済フォーラムのブレンデ総裁などからも高く評価されています。また、「BATH」と呼ばれる世界的IT企業を生んだ中国のイノベーション力によるSDGsへの貢献も期待されています。

一方、2020年9月には、民主化運動に揺れる香港や100万人以上のウイグル人が拘束されているという新疆ウイグル自治区での人権問題をめぐって、EUやイギリス、カナダなど西側諸国が国連人権理事会で中国を非難するなど、国際社会の批判が高まっており、世界中から今後の動向が注視されています。

中国の達成度とトレンド

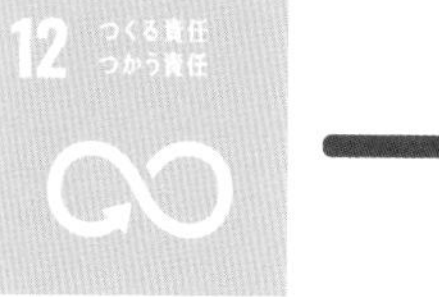

■ 達成にはほど遠い ■ 課題が多い ■ 達成に近いが課題あり ■ 達成できている

↓ 悪化 → 現状維持 ↗ 改善 ↑ 達成もしくは達成予定 ― 不明

出所:SDSN、独ベルテルスマン財団「The Sustainable Development Report 2020」

SECTION 08

SDGs先進国の取り組みを知る

SDGsの達成度が高い北欧諸国の先進的な取り組み

SDGs 達成度の上位はスウェーデンをはじめとする北欧諸国が占めており、サステナブルな取り組みに積極的なことが広く知られています。ここでは北欧諸国で行われている取り組みについて紹介します。

参考になる北欧諸国の先進的な取り組み

P.186 で紹介した「SDGs 達成度ランキング」では、1 位スウェーデン、2 位デンマーク、3 位フィンランドと上位は北欧の国が占めました。なぜ SDGs の達成度が高いのでしょうか。

北欧諸国は SDGs が採択されるはるか前から持続可能な社会を目指して本気で取り組んできました。その背景には、**北極圏に近いため、気温上昇によって氷が溶けるスピードが速くなっているなどの異変を肌で感じやすく、環境の変化を「自分ごと」として考える土壌があった**からといわれています。SGDs ウェディングケーキモデル（P.54）で知られる環境学者ヨハン・ロックストローム氏がスウェーデン人なのも、こうした背景が関係しているのかもしれません。

SDGs 達成度 3 位のフィンランドは、国連で SDGs が採択されるよりもずっと前の 1993 年から「持続可能な開発に関する国家委員会」を設置して、国際的に高い評価を得ています。

デンマークでは、**「UN17 ビレッジ」**という先進的な取り組みが進んでおり、世界的に注目を集めています。SDGs の 17 の目標を達成できるようなビレッジを建設するプロジェクトで、2023 年に首都コペンハーゲン南部に完成予定です。約 3 万 5,000㎡の敷地には、木材や窓ガラスなどの廃材からリサイクルされたアップサイクル素材が使われた 5 棟の建物が建設され、約 830 人が居住できる街ができるといいます。ビレッジ内では 100%再生可能エネルギーが使われ、雨水を貯めて利用するほか、

アップサイクル
リサイクルのように原料に戻すのではなく、そのままの形を生かして再利用すること。アップサイクルは地球への負荷を抑えることができる。自転車のチューブを用いたバッグなどはその代表例。

➔デンマークで建設が進む「UN17ビレッジ」の完成予想図

SDGsの目標を達成を目的とした世界で最初の建設プロジェクト「UN17ビレッジ」では、SDGsの17の目標だけでなく、169のターゲットにも焦点を当てるという。施設内には、700㎡の屋上に年間15トンの作物を生産できる温室や、雨水を集めて洗濯ができるランドリー、発電用の太陽熱パネル、風力タービンが設置されるなど、さまざまな工夫が施された施設・設備が設置される。

屋上庭園には多様な生物が棲める環境にする予定です。また、環境に配慮するだけでなくアップサイクル素材に加工する事業所を設置することで雇用創出も視野に入れています。

スウェーデンも国が主体となり持続可能な社会の推進を行っており、スウェーデン発祥の家具量販店イケアは、製品の60%以上に再生可能な素材を利用するほか、女性や移民などダイバーシティに富む職場環境づくりなど、SDGsの実現に力を入れていることで知られています。

北欧の先進的で挑戦的な取り組みを知ると、「もっとできることがあるのではないか」と刺激になるのではないでしょうか。

なお、1989年には北欧5カ国で、環境ラベル制度「ノルディック・スワン」を導入したほか、2017年9月には公的な協力を通じてSDGsの取り組みを加速することを目的に、北欧諸国が共同で「2030世代プログラム」を立ち上げています。こうしたパートナーシップも世界の見本になる取り組みといえます。

ノルディック・スワン
ノルウェー、デンマーク、フィンランド、アイスランド、スウェーデンの5カ国の政府が認定しているエコラベルのこと。白鳥マークで知られており、3,000を超える商品が認定されている。

2030世代プログラム
将来の主役となる子どもや若者世代のために必要なSDGsの達成のため、次世代が変革の担い手となるアクションをサポートする枠組み。

lendager.com

SECTION 09

SDGsの達成が最も遅れているエリア

達成度が低いアフリカ諸国が抱える問題点と期待

世界で最も脆弱な地域のひとつであるサハラ以南のアフリカは、多くの困難を抱えています。2020年に入って発生した新型コロナや大量発生したバッタによる農作物の壊滅的な被害は、SDGsの進捗にも大きな悪影響を及ぼしそうです。

さまざまな困難を抱えるサブサハラアフリカ

SDGsが始まった時点で、アフリカ地域は他の地域に比べて多くの困難を抱えていましたが、P.184やP.186に掲載したSDGs達成度ランキングを見ると、下位はアフリカ諸国で占められているように、その状況は依然変わっていません。

とくに**さまざまな面で厳しい状況に置かれているのが、サハラ以南のアフリカ（サブサハラアフリカ）**です。インフラが脆弱なため、地球温暖化による干ばつや洪水などが起こると甚大な悪影響が及びやすく、HIV/AIDSや致死率が高いエボラ出血熱などにも悩まされています。また、ナイジェリアを中心に活動するイスラム過激派組織ボコ・ハラムによる深刻な人権侵害や自爆テロも大きな脅威になっています。

2020年に入ると、新型コロナの蔓延や東アフリカでのバッタの大量発生による蝗害（こうがい）が発生しました。国連アフリカ経済委員会（ECA）は、**新たに2,900万人が極度の貧困に陥る恐れがある**と危機感を強めています。

ボコ・ハラム
ナイジェリア北東部で主に活動するイスラム過激派組織。誘拐した少女らを使った人間爆弾テロを行うなど、残虐行為が国際的に非難されている。現地語で「西洋の教育は罪」を意味するように、西洋文明、現代科学と強く敵対している。

国連アフリカ経済委員会（ECA）
アフリカ大陸のすべての国連加盟国54カ国が加盟する国連の委員会。「加盟国の経済社会開発支援」「地域統合の促進」「アフリカ開発のための国際協力の促進」を主な目的とする。本部はエチオピアのアディスアベバ。

加速するテクノロジーで生活を変える動き

一方で、アフリカでは最先端テクノロジーを生かしたサービスが一気に普及し、人々の生活を大きく変えるケースも出てきています。

たとえば、ケニアの通信最大手サファリコムによる携帯電話のSMS（ショートメール）を使った送金サービス「M-PESA（エ

ケニア発の決済サービス「M-PESA」

2007年にケニアの通信会社サファリコムが立ち上げた「M-Pesa」は、銀行口座を持たないアフリカの人々に送金や公共料金の支払い手段を与えた。取次店に口座を開いてお金をデポジットとして預けて、携帯電話のSMSを使って送金し、受け手は取次店でお金を受け取る。ケニアからアフリカ全域に普及しただけでなく、インドやポーランドにも進出。利用者は約4,000万人、月間の決済処理件数は10億件を超えている。

ムペサ)」は、銀行口座を持たない人が多いアフリカの人々に送金や公共料金の支払いを行う手段を提供し、瞬く間にアフリカ全域に普及しました。

2018年にはケニアの携帯電話普及率が100％を超えたように、日本人が思う以上にアフリカでは携帯電話が普及しています。ほとんどの人が携帯電話・スマホを所有しているため、銀行口座を持たない人にとって、M-PESAはすでに金融インフラとして不可欠なものになっているのです。

人々が銀行口座開設より前に携帯電話で送金できるようになるのは、テクノロジーが進歩した現代だからこそできたことです。先進国が段階を踏んで成長してきたプロセスを省き、一足飛びに新しいテクノロジーを導入できるのは途上国のメリットです。発展途上であることを生かすイノベーションによって、スピーディーに社会を変革する動きが活発化していることは、アフリカの未来にポジティブな影響を及ぼすと期待されています。

Mary MM / Shutterstock.com

SECTION 10

SDGsは本当に達成できるのか？

2030年までの達成は難しい!?「グレート・リセット」の時代へ

2030年までに達成することを目指して設定されたSDGsはすでに3分の1の期間が過ぎ、残りの期間は10年を切りました。2020年に入って新型コロナがパンデミックになったことで、SDGsの達成はより難しくなっています。

2020年末を期限にしたターゲットの進捗状況

SDGsの169のターゲットのうち21は2020年末を期限にしています。そのうち、12のターゲットは「生物多様性条約」「愛知目標」に関連した生物多様性に関係したものになっています。「持続可能な開発目標（SDGs）報告2020」は、気候変動が予想を上回る速さで進んでいることを指摘し、海洋酸性化の加速、土地の劣化、絶滅危機に瀕する生物種の増加、持続不可能な消費と生産の様式が広がり続けていることに警鐘を鳴らしています。

同報告書では、2020年6月の入手可能なデータに基づいて状況を報告していますが、**21のターゲットのうち「目標は達成されているか、達成に向かっている」と評価されているのはわずか3つだけ**で、6つのターゲットに関しては「進捗なし、または目標達成から遠ざかっている」と評価されています。**最終的な達成期限である2030年を見据えても順調とはいえない状況です。**

パンデミックという世界的な危機は、達成をさらに難しくしました。この危機を世界が団結する機会にし、バックキャスティング思考で行動できるか、人類の底力が試されています。

2021年1月開催予定の世界経済フォーラム（ダボス会議）では、資本主義の「**グレート・リセット**」がテーマです。**より公平で、持続可能で、強靱な未来をつくるため、世界の社会経済システムを抜本的に考え直し、前例と既得権益にしばられない大改革をしなければ、世の中はよくならないかもしれません。今後、「グレート・リセット」に関する議論が活発になるはずです。**

生物多様性条約
地球規模の生物多様性の保全、生物多様性の構成要素の持続可能な利用を目的にした唯一の国際条約。1992年6月にブラジル・リオデジャネイロで開催された国連環境開発会議（地球サミット）で条約に加盟するための署名が開始され、1993年12月29日に発効した。

愛知目標
2010年10月に開催された第10回生物多様性条約締約国会議（COP10）で合意された、生物多様性の損失に歯止めをかけるために2050年までに実現を目指す20項目の目標。「愛知ターゲット」とも呼ばれる。

グレート・リセット
前例と既得権益に縛られない大改革のこと。世界経済フォーラムの主宰クラウス・シュワブ氏が「第2次大戦後から続いてきた資本主義は限界を迎えている。人々を幸福にする新しい経済システムが必要だ」と語るように、資本主義のグレート・リセットを求める流れが強まっている。

2020年の期限がある主なSDGターゲットと進捗状況

2020年を期限に設定されたターゲット	進捗	進捗状況の概要
3.6　2020年までに、世界の道路交通事故による死傷者を半減させる。	●	2010年の人口10万人あたり18.7人から2016年の18.2人へ交通事故死者数はわずかに減少しているが、2020年末までの達成の見込みはない。
8.b　2020年までに、若年雇用のための世界的戦略及び国際労働機関(ILO)の仕事に関する世界協定の実施を展開・運用化する。	●	2019年の102カ国のデータによると、98%の国が若者の雇用戦略を持っているか、近い将来にそれを開発する計画がある。約3分の1の国は、若者の雇用に関するグローバル戦略を策定し、すでに運用している。
9.c　後発開発途上国において情報通信技術へのアクセスを大幅に向上させ、2020年までに普遍的かつ安価なインターネット・アクセスを提供できるよう図る。	●	2019年には、世界人口の推定96.5%が2Gネットワークでカバーされ、81.8%がLTEネットワークでカバーされた。
14.4　水産資源を、実現可能な最短期間で少なくとも各資源の生物学的特性によって定められる最大持続生産量のレベルまで回復させるため、2020年までに、漁獲を効果的に規制し、過剰漁業や違法・無報告・無規制(IUU)漁業及び破壊的な漁業慣行を終了し、科学的な管理計画を実施する。	●	世界の漁業資源の持続可能性は低下し続けており、1974年の90%だった生物学的に持続可能なレベルの魚資源のシェアは、2015年よりも0.8%低下し、2017年には65.8%になった。
14.5　2020年までに、国内法及び国際法に則り、最大限入手可能な科学情報に基づいて、少なくとも沿岸域及び海域の10パーセントを保全する。	●	2019年12月の時点で、各国の管轄下にある水域は、2010年の面積の2倍以上の地域が保護され、2000年の30.5%から2019年の46.0%に増加した。
15.1　2020年までに、国際協定の下での義務に則って、森林、湿地、山地及び乾燥地をはじめとする陸域生態系と内陸淡水生態系及びそれらのサービスの保全、回復及び持続可能な利用を確保する。	●	2020年には、陸地の44%、淡水および山の41%の「生物多様性の保全の鍵になる重要な地域(KBA)は保護地域内にあり、2000年から12〜13%増加したが、2010年以降は過去10年間と比較して大幅に鈍化している。
15.5　自然生息地の劣化を抑制し、生物多様性の損失を阻止し、2020年までに絶滅危惧種を保護し、また絶滅防止するための緊急かつ意味のある対策を講じる。	●	レッドリストインデックス(「1」に近いほど絶滅の脅威がなく、「0」はすべての種が絶滅したことを示す)は、1990年の0.82から2015年は0.75、2020年は0.73に減少した。

●＝進捗なし、または目標達成から遠ざかっている　●＝進捗しているが目標達成には不十分
●＝目標は達成されているか、達成に向かっている

出所：国連「The Sustainable Development Goals Report 2020」

Column

若者世代の意識は、欧米と日本では少し違う!?

欧米に比べると、社会問題に対する解決意欲は高くない

1981年～1990年代前半に生まれ、2000年以降に成人を迎えた「ミレニアル世代」や、1990年代後半～2012年生まれの「Z世代」といった若い世代は、それ以前の世代より環境や社会の課題に対して目を向ける人が多いといわれています。

彼らは生まれたときからインターネットが当たり前にある「デジタルネイティブ」であるだけでなく、SDGsを自分ごととして捉えている「SDGsネイティブ」でもあるといわれています。就職先を選ぶときに、「ESGやサステナビリティに取り組んでいること」を重要な選定基準にすることも多いといいます。

それでも内閣府が満13歳～29歳に対象して行った意識調査で、「自国の社会に満足しているか」という問いに対し、「満足」と答えた日本人は5.3%で、アメリカ（27.8%）、スウェーデン（19.0%）に比べて、極端に低くなっています。また、「社会をよりよくするため、私は社会における問題の解決に関与したい」という設問に対して、「そう思う」と回答した人も欧米に比べ著しく低くなっています。

社会をよくするために、社会における問題解決に関与したいか？

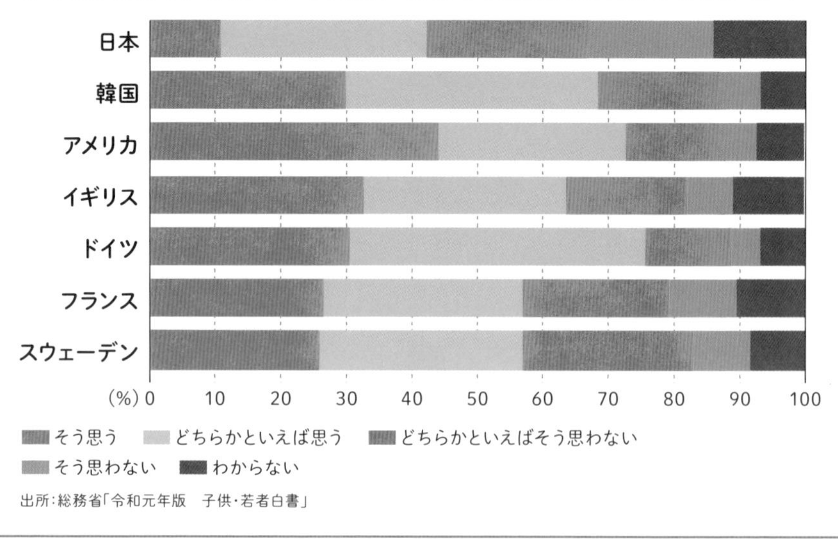

出所：総務省「令和元年版　子供・若者白書」

付録

SDGsの 17の目標と 169のターゲット

SDGsには17の目標と169のターゲットがあります。

169のターゲットを見れば、

17の目標が何を目指しているかがはっきりしてきます。

2030年までに達成しなければならない

これらの目標、ターゲットのなかで、

自分ができること、自社ができることを考えてみましょう。

目標：1

あらゆる場所で、あらゆる形態の貧困に終止符を打つ

世界が直面している主な課題・問題

●極度の貧困状態にある世界人口の割合は、2010年の15.7%から2015年には10.0%に減少したが、世界の貧困削減のペースは減速している。2019年の世界の貧困率は8.2%とされているが、パンデミックが2020年後半に予想されているレベルまで回復すると仮定すると、貧困率は2020年に8.8%にまで上昇すると予測されている。

●南アジアとサハラ以南のアフリカでは、極度の貧困が最も増加し、パンデミックの結果としてそれぞれ3,200万人、2,600万人が1日1.9ドルの国際貧困線以下で生活することが予想されている。

●全世界の人口の55%（約40億人）は、2016年にはいかなる形の社会保護からも恩恵を受けておらず、失業給付の対象となった失業者は22%にすぎなかった。2020年2月の時点で、国内法に基づいた失業保護プログラムを実施している国は87カ国のみで、自営業者をカバーしている国は34カ国のみだった。

● 2019年には15歳から24歳の労働者の12.8%が貧困状態で生活していたのに対し、24歳以上の労働者は6.3%だった。2000年以降、若者と成人の労働貧困率の差はわずかに減少しているが、この格差は新型コロナウイルスの感染拡大により悪化する可能性が高い。

ターゲット

1.1　2030年までに、現在1日1.25ドル未満で生活する人々と定義されている極度の貧困をあらゆる場所で終わらせる。

1.2　2030年までに、各国定義によるあらゆる次元の貧困状態にある、すべての年齢の男性、女性、子どもの割合を半減させる。

1.3　各国において最低限の基準を含む適切な社会保護制度および対策を実施し、2030年までに貧困層および脆弱層に対し十分な保護を達成する。

1.4　2030年までに、貧困層および脆弱層をはじめ、すべての男性および女性が、基礎的サービスへのアクセス、土地およびその他の形態の財産に対する所有権と管理権限、相続財産、天然資源、適切な新技術、マイクロファイナンスを含む金融サービスに加え、経済的資源についても平等な権利を持つことができるように確保する。

1.5　2030年までに、貧困層や脆弱な状況にある人々の強靭性（レジリエンス）を構築し、気候変動に関連する極端な気象現象やその他の経済、社会、環境的ショックや災害に暴露や脆弱性を軽減する。

1.a　あらゆる次元での貧困を終わらせるための計画や政策を実施するべく、後発開発途上国をはじめとする開発途上国に対して適切かつ予測可能な手段を講じるため、開発協力の強化などを通じて、さまざまな供給源からの相当量の資源の動員を確保する。

1.b　貧困撲滅のための行動への投資拡大を支援するため、国、地域及び国際レベルで、貧困層やジェンダーに配慮した開発戦略に基づいた適正な政策的枠組みを構築する。

Travel Stock / Shutterstock.com

飢餓を終わらせ、食料安全保障および栄養改善を実現し、持続可能な農業を促進する

世界が直面している主な課題・問題

●重度の栄養不良に陥っている人の比率は、2014 年の 8.3%から 2019 年には 9.7%まで上昇している。2019 年は約 6 億 9,000 万人が栄養失調で、2014 年と比べて 6,000 万人近く増加している。

●発育不全に苦しんでいる 5 歳未満の子どもの割合は、2000 年の 32%から 2015 年には 23%、2019 年には 21%に減少した。その多くは南アジア（39%）とサハラ以南アフリカ（36%）に住んでいる。発育不全の子どもの数を 2025 年までに 9,900 万人に、2030 年までに 8,200 万人まで減らすという目標を達成するには、これまで以上の取り組みが必要とされる。

● 2019 年、世界の 5 歳未満の 5.6%（3,800 万人）の子どもが太りすぎだった。小児の太りすぎは、急性および慢性疾患の発生、健康な発達、個人や社会の経済的生産性への悪影響を及ぼすため、世界的な公衆衛生問題として対策が求められる。

● 2020 年に入り、新型コロナウイルスに加えて、バッタの大量発生で農作物が被害にあったことで、東アフリカ 6 カ国とイエメンで 3,500 万人がすでに深刻な食糧不安に陥っている。

ターゲット

2.1　2030 年までに、飢餓を撲滅し、すべての人々、特に貧困層および幼児を含む脆弱な立場にある人々が一年中安全かつ栄養のある食料を十分得られるようにする。

2.2　5 歳未満の子どもの発育阻害や消耗性疾患について国際的に合意されたターゲットを 2025 年までに達成するなど、2030 年までにあらゆる形態の栄養不良を解消し、若年女子、妊婦・授乳婦および高齢者の栄養ニーズへの対処を行う。

2.3　2030 年までに、土地、その他の生産資源や、投入財、知識、金融サービス、市場および高付加価値化や非農業雇用の機会への確実かつ平等なアクセスの確保などを通じて、女性、先住民、家族農家、牧畜民および漁業者をはじめとする小規模食料生産者の農業生産性および所得を倍増させる。

2.4　2030 年までに、生産性を向上させ、生産量を増やし、生態系を維持し、気候変動や極端な気象現象、干ばつ、洪水およびその他の災害に対する適応能力を向上させ、漸進的に土地と土壌の質を改善させるような、持続可能な食料生産システムを確保し、強靭（レジリエント）な農業を実践する。

2.5　2020 年までに、国、地域および国際レベルで適正に管理および多様化された種子・植物バンクなども通じて、種子、栽培植物、飼育・家畜化された動物およびこれらの近縁野生種の遺伝的多様性を維持し、国際的合意に基づき、遺伝資源およびこれに関連する伝統的な知識へのアクセス及びその利用から生じる利益の公正かつ衡平な配分を促進する。

2.a　開発途上国、特に後発開発途上国における農業生産能力向上のために、国際協力の強化などを通じて、農村インフラ、農業研究・普及サービス、技術開発及び植物・家畜のジーン・バンクへの投資の拡大を図る。

2.b　ドーハ開発ラウンドのマンデートに従い、すべての農産物輸出補助金及び同等の効果を持つすべての輸出措置の同時撤廃などを通じて、世界の市場における貿易制限や歪みを是正及び防止する。

2.c　食料価格の極端な変動に歯止めをかけるため、食料市場及びデリバティブ市場の適正な機能を確保するための措置を講じ、食料備蓄などの市場情報への適時のアクセスを容易にする。

JLwarehouse / Shutterstock.com

目標：3

あらゆる年齢のすべての人々の健康的な生活を確保し、福祉を促進する

世界が直面している主な課題・問題

●5歳未満の子どもの死亡数は、2000年の1,000人の出生あたり76人から2015年は42人、2018年には39人と低下したが、2018年だけで5歳になる前に約530万人の子どもが亡くなっている。
●マラリア発生率は2000年から2014年の間に人口1,000人あたり81人から57人と30%減少したが、2018年は2014年と同レベルにとどまっており、マラリアの撲滅という目標達成の軌道に乗っていない。
●妊産婦死亡率は、2000年から2017年の間に38%低下し、世界中の10万人の出産あたりの死亡数は342人から211人に減少した。平均で年2.9%減少したが、「2030年までに10万人の出産あたり70人の妊産婦死亡」という目標を達成するために年6.4%減少させる必要がある。

ターゲット

3.1　2030年までに、世界の妊産婦の死亡率を出生10万人当たり70人未満に削減する。
3.2　すべての国が新生児死亡率を少なくとも出生1,000件中12件以下まで減らし、5歳以下死亡率を少なくとも出生1,000件中25件以下まで減らすことを目指し、2030年までに、新生児及び5歳未満児の予防可能な死亡を根絶する。
3.3　2030年までに、エイズ、結核、マラリア及び顧みられない熱帯病といった伝染病を根絶するとともに肝炎、水系感染症及びその他の感染症に対処する。
3.4　2030年までに、非感染性疾患による若年死亡率を、予防や治療を通じて3分の1減少させ、精神保健及び福祉を促進する。
3.5　薬物乱用やアルコールの有害な摂取を含む、物質乱用の防止・治療を強化する。
3.6　2020年までに、世界の道路交通事故による死傷者を半減させる。
3.7　2030年までに、家族計画、情報・教育及び性と生殖に関する健康の国家戦略・計画への組み入れを含む、性と生殖に関する保健サービスをすべての人々が利用できるようにする。
3.8　すべての人々に対する財政リスクからの保護、質の高い基礎的な保健サービスへのアクセス及び安全で効果的かつ質が高く安価な必須医薬品とワクチンへのアクセスを含む、ユニバーサル・ヘルス・カバレッジ（UHC）を達成する。
3.9　2030年までに、有害化学物質、ならびに大気、水質及び土壌の汚染による死亡及び疾病の件数を大幅に減少させる。
3.a　すべての国々において、たばこの規制に関する世界保健機関枠組条約の実施を適宜強化する。
3.b　主に開発途上国に影響を及ぼす感染性及び非感染性疾患のワクチン及び医薬品の研究開発を支援する。また、知的所有権の貿易関連の側面に関する協定（TRIPS協定）及び公衆の健康に関するドーハ宣言に従い、安価な必須医薬品及びワクチンへのアクセスを提供する。同宣言は公衆衛生保護及び、特にすべての人々への医薬品のアクセス提供にかかわる「知的所有権の貿易関連の側面に関する協定（TRIPS協定）」の柔軟性に関する規定を最大限に行使する開発途上国の権利を確約したものである。
3.c　開発途上国、特に後発開発途上国及び小島嶼開発途上国において保健財政及び保健人材の採用、能力開発・訓練及び定着を大幅に拡大させる。
3.d　すべての国々、特に開発途上国の国家・世界規模な健康危険因子の早期警告、危険因子緩和及び危険因子管理のための能力を強化する。

すべての人々への包摂的かつ公正な質の高い教育を提供し、生涯学習の機会を促進する

世界が直面している主な課題・問題

●小学校を卒業した人の率は、2000年の70%から2019年には85%に上昇した。しかし、低所得国では所得が上位20%の世帯の子どもは78.5%が卒業できたのに対し、下位20%の最貧困層世帯の子どもはわずか34%しか卒業できていない。

● 2019年には、ヨーロッパの約87%の世帯でインターネットにアクセスできたが、アフリカではわずか18%にとどまった。ヨーロッパの世帯の78%がパソコンを所有していたのに対し、アフリカではわずか11%だった。こうしたデジタル格差はさらなる格差拡大を助長する。

●パンデミック中の休校により、推定3億7,900万人の子どもが学校給食を食べられなくなったことで、空腹を強いられた。学校の閉鎖は、児童労働、児童結婚、早期妊娠、家庭内暴力を増加させる可能性がある。

ターゲット

4.1 2030年までに、すべての子どもが男女の区別なく、適切かつ効果的な学習成果をもたらす、無償かつ公正で質の高い初等教育及び中等教育を修了できるようにする。

4.2 2030年までに、すべての子どもが男女の区別なく、質の高い乳幼児の発達・ケア及び就学前教育にアクセスすることにより、初等教育を受ける準備が整うようにする。

4.3 2030年までに、すべての人々が男女の区別なく、手の届く質の高い技術教育・職業教育及び大学を含む高等教育への平等なアクセスを得られるようにする。

4.4 2030年までに、技術的・職業的スキルなど、雇用、働きがいのある人間らしい仕事及び起業に必要な技能を備えた若者と成人の割合を大幅に増加させる。

4.5 2030年までに、教育におけるジェンダー格差をなくし、障害者、先住民及び脆弱な立場にある子どもなど、脆弱層があらゆるレベルの教育や職業訓練に平等にアクセスできるようにする。

4.6 2030年までに、すべての若者及び大多数(男女ともに)の成人が、読み書き能力及び基本的計算能力を身に付けられるようにする。

4.7 2030年までに、持続可能な開発のための教育及び持続可能なライフスタイル、人権、男女の平等、平和及び非暴力的文化の推進、グローバル・シチズンシップ、文化多様性と文化の持続可能な開発への貢献の理解の教育を通して、すべての学習者が、持続可能な開発を促進するために必要な知識及び技能を習得できるようにする。

4.a 子ども、障害及びジェンダーに配慮した教育施設を構築・改良し、すべての人々に安全で非暴力的、包摂的、効果的な学習環境を提供できるようにする。

4.b 2020年までに、開発途上国、特に後発開発途上国及び小島嶼開発途上国、ならびにアフリカ諸国を対象とした、職業訓練、情報通信技術(ICT)、技術・工学・科学プログラムなど、先進国及びその他の開発途上国における高等教育の奨学金の件数を全世界で大幅に増加させる。

4.c 2030年までに、開発途上国、特に後発開発途上国及び小島嶼開発途上国における教員研修のための国際協力などを通じて、質の高い教員の数を大幅に増加させる。

目標:5

ジェンダー平等を達成し、すべての女性及び女児の能力強化を行う

世界が直面している主な課題・問題

● 106 カ国で実施された調査によると、パンデミックの前でさえ、2005 年から 2017 年の間に 15 歳から 49 歳までの女性と少女の 18%が親しいパートナーによる暴力を経験していた。新型コロナウイルスのパンデミックによるロックダウンによって女性や少女の家庭内暴力のリスクが高まっている。
● 2020 年 1 月 1 日の時点で、国会における女性議員の割合は 24.9%だった。2010 年の 19%、2015 年の 22.3%からは増加しているが、男女の差は開いたままである。
● 2019 年、女性は世界の労働者の 39%を占めたが、管理職の女性割合は 28%にとどまっている。
●女性性器切除術を受けたのは少なくとも 2 億人に及ぶ。この深刻な人権侵害行為の約半分は西アフリカの国々で行われている。
●女性は、給料が支払われない高齢者介護や子どもの世話、家事に、男性の約 3 倍の時間を費やしている。

ターゲット

5.1　あらゆる場所におけるすべての女性及び女児に対するあらゆる形態の差別を撤廃する。
5.2　人身売買や性的、その他の種類の搾取など、すべての女性及び女児に対する、公共・私的空間におけるあらゆる形態の暴力を排除する。
5.3　未成年者の結婚、早期結婚、強制結婚及び女性器切除など、あらゆる有害な慣行を撤廃する。
5.4　公共のサービス、インフラ及び社会保障政策の提供、ならびに各国の状況に応じた世帯・家族内における責任分担を通じて、無報酬の育児・介護や家事労働を認識・評価する。
5.5　政治、経済、公共分野でのあらゆるレベルの意思決定において、完全かつ効果的な女性の参画及び平等なリーダーシップの機会を確保する。
5.6　国際人口・開発会議（ICPD）の行動計画及び北京行動綱領、ならびにこれらの検証会議の成果文書に従い、性と生殖に関する健康及び権利への普遍的アクセスを確保する。
5.a　女性に対し、経済的資源に対する同等の権利、ならびに各国法に従い、オーナーシップ及び土地その他の財産、金融サービス、相続財産、天然資源に対するアクセスを与えるための改革に着手する。
5.b　女性の能力強化促進のため、ICT をはじめとする実現技術の活用を強化する。
5.c　ジェンダー平等の促進、ならびにすべての女性及び女子のあらゆるレベルでの能力強化のための適正な政策及び拘束力のある法規を導入・強化する。

Drop of Light / Shutterstock.com

すべての人々の水と衛生の利用可能性と持続可能な管理を確保する

世界が直面している主な課題・問題

● 2000 年から 2017 年の間に、安全に管理された飲料水を使用する世界の人口の割合は、61%から71%に増加した。しかし、2017 年時点で、7 億 8,500 万人もの人々が基本的な飲料水サービスさえ受けられていない。

●手洗いは、新型コロナウイルスの蔓延を防止する安価で簡単で最も効果的な方法だが、2017 年時点では、自宅に石鹸と水を備えた基本的な手洗い施設を持つ人はわずか 60%で、推定 30 億人の人々が自宅で安全に手を洗うことができていない。なかでも、後発開発途上国ではわずか 28%にとどまっている。サハラ以南のアフリカでは人口の 75%（7 億 7,700 万人）に基本的な手洗い設備がない。

● 2017 年時点で、世界人口の約 9%にあたる 6 億 7,300 万人が屋外排せつを行っている。その大半は南アジアで行われている。

● 2016 年時点で、世界中の医療施設のうち 4 カ所に 1 カ所は基本的な飲料水サービスがなく、20 億人以上の人々の感染病リスクを高めている。

ターゲット

6.1　2030 年までに、すべての人々の、安全で安価な飲料水の普遍的かつ衛平なアクセスを達成する。

6.2　2030 年までに、すべての人々の、適切かつ平等な下水施設・衛生施設へのアクセスを達成し、野外での排泄をなくす。女性及び女児、ならびに脆弱な立場にある人々のニーズに特に注意を払う。

6.3　2030 年までに、汚染の減少、投棄の廃絶と有害な化学物・物質の放出の最小化、未処理の排水の割合半減及び再生利用と安全な再利用の世界的規模で大幅に増加させることにより、水質を改善する。

6.4　2030 年までに、全セクターにおいて水利用の効率を大幅に改善し、淡水の持続可能な採取及び供給を確保し水不足に対処するとともに、水不足に悩む人々の数を大幅に減少させる。

6.5　2030 年までに、国境を越えた適切な協力を含む、あらゆるレベルでの統合水資源管理を実施する。

6.6　2020 年までに、山地、森林、湿地、河川、帯水層、湖沼を含む水に関連する生態系の保護・回復を行う。

6.a　2030 年までに、集水、海水淡水化、水の効率的利用、排水処理、リサイクル・再利用技術を含む開発途上国における水と衛生分野での活動と計画を対象とした国際協力と能力構築支援を拡大する。

6.b　水と衛生に関わる分野の管理向上における地域コミュニティの参加を支援・強化する。

MAGNIFIER / Shutterstock.com

目標：7

すべての人々の、安価かつ信頼できる持続可能な近代的エネルギーへのアクセスを確保する

世界が直面している主な課題・問題

●電気を利用できる世界の人口の割合は、2010 年の 83%から 2018 年には 90%に増加したが、7 億 9,900 万人（農村地域では 85%）は電力を利用できていない。なかでもサハラ以南のアフリカでは、人口の 53%（約 5 億 4,800 万人）がまだ電力を利用できていない。2030 年までに電力への普遍的なアクセスの目標を達成するには、年間の電化率を 2018 年の 0.82 ポイントから 2019 年〜 2030 年は 0.87 ポイントにに引き上げる必要がある。新型コロナウイルスの影響を考慮しない前提で、このままの進捗だと 2030 年になっても 6 億 2,000 万人が電力にアクセスできない。

●最終的なエネルギー総消費量に占める再生可能エネルギーの割合は、2010 年の 16.3%、2015 年の 17.0%から 2017 年には 17.3%に達した。

●クリーンで再生可能なエネルギーを支援する開発途上国への国際公的資金フローは 2017 年に 214 億ドルに達した。これは 2010 年の 2 倍、2016 年より 13%高い水準になる。2017 年の公的資金フローの全体のうち水力発電プロジェクトへの投資は 46%を占め、太陽光は 19%、風力は 7%、地熱エネルギーは 6%となっている。ただし、後発開発途上国へは資金フローの 12%しか振り向けられていない。

ターゲット

7.1　2030 年までに、安価かつ信頼できる現代的エネルギーサービスへの普遍的アクセスを確保する。

7.2　2030 年までに、世界のエネルギーミックスにおける再生可能エネルギーの割合を大幅に拡大させる。

7.3　2030 年までに、世界全体のエネルギー効率の改善率を倍増させる。

7.a　2030 年までに、再生可能エネルギー、エネルギー効率及び先進的かつ環境負荷の低い化石燃料技術などのクリーンエネルギーの研究及び技術へのアクセスを促進するための国際協力を強化し、エネルギー関連インフラとクリーンエネルギー技術への投資を促進する

7.b　2030 年までに、各々の支援プログラムに沿って開発途上国、特に後発開発途上国及び小島嶼開発途上国、内陸開発途上国のすべての人々に現代的で持続可能なエネルギーサービスを供給できるよう、インフラ拡大と技術向上を行う。

包摂的かつ持続可能な経済成長及びすべての人々の完全かつ生産的な雇用と働きがいのある人間らしい雇用（ディーセント・ワーク）を促進する

世界が直面している主な課題・問題

●開発途上国のなかでも特に開発が遅れている後発開発途上国の実質 GDP 成長率は、2018 年 4.5%、2019 年に 4.8%に達したが、新型コロナウイルスのパンデミックにより 2020 年は 0.8%まで低下すると予想されている。2021 年以降は 4.6%に回復する見込みだが、目標の 7%には遠く及んでいない。

● 2019 年の世界の失業率は 5.4%だったが、北アフリカと西アジアでは 10.7%だった。また、女性の失業率は男性よりも 9%高く、世界の若年層の失業率も 13.6%で、成人の 4.0%より 9.6%も高かった。

● 2018 年には、世界の若者の 5 分の 1 が教育、雇用、訓練のいずれにも従事していない「ニート」だった。なかでも中央アジア、南アジア、北アフリカ、西アジアでは深刻な状況で、若者の 4 分の 1 以上がニートだった。

ターゲット

8.1 各国の状況に応じて、一人当たり経済成長率を持続させる。特に後発開発途上国は少なくとも年率 7%の成長率を保つ。

8.2 高付加価値セクターや労働集約型セクターに重点を置くことなどにより、多様化、技術向上及びイノベーションを通じた高いレベルの経済生産性を達成する。

8.3 生産活動や適切な雇用創出、起業、創造性及びイノベーションを支援する開発重視型の政策を促進するとともに、金融サービスへのアクセス改善などを通じて中小零細企業の設立や成長を奨励する。

8.4 2030 年までに、世界の消費と生産における資源効率を漸進的に改善させ、先進国主導の下、持続可能な消費と生産に関する 10 年計画枠組みに従い、経済成長と環境悪化の分断を図る。

8.5 2030 年までに、若者や障害者を含むすべての男性及び女性の、完全かつ生産的な雇用及び働きがいのある人間らしい仕事、ならびに同一労働同一賃金を達成する。

8.6 2020 年までに、就労、就学及び職業訓練のいずれも行っていない若者の割合を大幅に減らす。

8.7 強制労働を根絶し、現代の奴隷制、人身売買を終らせるための緊急かつ効果的な措置の実施、最悪な形態の児童労働の禁止及び撲滅を確保する。2025 年までに児童兵士の募集と使用を含むあらゆる形態の児童労働を撲滅する。

8.8 移住労働者、特に女性の移住労働者や不安定な雇用状態にある労働者など、すべての労働者の権利を保護し、安全・安心な労働環境を促進する。

8.9 2030 年までに、雇用創出、地方の文化振興・産品販促につながる持続可能な観光業を促進するための政策を立案し実施する。

8.10 国内の金融機関の能力を強化し、すべての人々の銀行取引、保険及び金融サービスへのアクセスを促進・拡大する。

8.a 後発開発途上国への貿易関連技術支援のための拡大統合フレームワーク（EIF）などを通じた支援を含む、開発途上国、特に後発開発途上国に対する貿易のための援助を拡大する。

8.b 2020 年までに、若年雇用のための世界的戦略及び国際労働機関（ILO）の仕事に関する世界協定の実施を展開・運用化する。

StevenK / Shutterstock.com

目標:9

強靱(レジリエント)なインフラ構築、包摂的かつ持続可能な産業化の促進及びイノベーションの推進を図る

世界が直面している主な課題・問題

●新型コロナウイルスは航空業界に大きな打撃を与え、2020年4月までに旅行需要はほぼゼロに低下した。2020年の最初の5カ月で旅客数は対前年比で51.1%減少した。国際民間航空機関（ICAO）によると、パンデミックにより2020年は、世界全体で22.9億人から30.6億人の乗客が減少し、総営業損失は3,302億ドルから4,000億ドルになる可能性がある。観光や貿易を含む他のセクターにも影響する、航空業界の安全で持続可能な回復には協調的な世界規模の取り組みが必要になる。

●各国のロックダウンの影響による措置により、2020年の第1四半期の世界の製造業生産の伸びは－6.0%と大幅に鈍化した。世界最大の製造業生産高を誇る中国は2020年第1四半期に－14.1%の減少を記録。世界経済に深刻な影響を与えている。

●2019年時点で、世界人口の97%が携帯電話を使えるエリア、93%がモバイル・ブローバンドを使えるエリアに暮らしている。しかし、後発開発途上国では経済的理由などでインターネットを利用している人は、わずか19%にとどまる。

ターゲット

9.1　すべての人々に安価で公平なアクセスに重点を置いた経済発展と人間の福祉を支援するために、地域・越境インフラを含む質の高い、信頼でき、持続可能かつ強靱（レジリエント）なインフラを開発する。

9.2　包摂的かつ持続可能な産業化を促進し、2030年までに各国の状況に応じて雇用及びGDPに占める産業セクターの割合を大幅に増加させる。後発開発途上国については同割合を倍増させる。

9.3　特に開発途上国における小規模の製造業その他の企業の、安価な資金貸付などの金融サービスやバリューチェーン及び市場への統合へのアクセスを拡大する。

9.4　2030年までに、資源利用効率の向上とクリーン技術及び環境に配慮した技術・産業プロセスの導入拡大を通じたインフラ改良や産業改善により、持続可能性を向上させる。すべての国々は各国の能力に応じた取り組みを行う。

9.5　2030年までにイノベーションを促進させることや100万人当たりの研究開発従事者数を大幅に増加させ、また官民研究開発の支出を拡大させるなど、開発途上国をはじめとするすべての国々の産業セクターにおける科学研究を促進し、技術能力を向上させる。

9.a　アフリカ諸国、後発開発途上国、内陸開発途上国及び小島嶼開発途上国への金融・テクノロジー・技術の支援強化を通じて、開発途上国における持続可能かつ強靱（レジリエント）なインフラ開発を促進する。

9.b　産業の多様化や商品への付加価値創造などに資する政策環境の確保などを通じて、開発途上国の国内における技術開発、研究及びイノベーションを支援する。

9.c　後発開発途上国において情報通信技術へのアクセスを大幅に向上させ、2020年までに普遍的かつ安価なインターネットアクセスを提供できるよう図る。

各国内及び各国間の不平等を是正する

世界が直面している主な課題・問題

● 2012 年から 2017 年の期間にわたってデータを得られる 90 カ国のうち、73 カ国で収入が下位 40%の最貧層の実質所得が伸びた。このうちの半数以上の 49 カ国で下位 40%が全国平均を上回る所得の伸びを示したが、この層が受け取るのは全体の収入の 25%に満たない。

● 2014 年から 2019 年までの 31 カ国のデータによると、10 人に 2 人弱が差別を経験している。また、障害のある人の 10 人に 3 人は差別を経験しており、なかでも女性は性別、民族、宗教など複数の差別を受けるケースが多い。

●一部の国では格差が縮小しているが、さまざまな不平等は続いている。新型コロナウイルス危機は最も脆弱な人々に最も大きな打撃を与えており、不平等を悪化させている。世界的な不況によって最貧国への支援が減れば、その影響はさらに深刻になる。

ターゲット

10.1　2030 年までに、各国の所得下位 40% の所得成長率について、国内平均を上回る数値を漸進的に達成し、持続させる。

10.2　2030 年までに、年齢、性別、障害、人種、民族、出自、宗教、あるいは経済的地位その他の状況に関わりなく、すべての人々の能力強化及び社会的、経済的及び政治的な包含を促進する。

10.3　差別的な法律、政策及び慣行の撤廃、ならびに適切な関連法規、政策、行動の促進などを通じて、機会均等を確保し、成果の不平等を是正する。

10.4　税制、賃金、社会保障政策をはじめとする政策を導入し、平等の拡大を漸進的に達成する。

10.5　世界金融市場と金融機関に対する規制とモニタリングを改善し、こうした規制の実施を強化する。

10.6　地球規模の国際経済・金融制度の意思決定における開発途上国の参加や発言力を拡大させることにより、より効果的で信用力があり、説明責任のある正当な制度を実現する。

10.7　計画に基づきよく管理された移民政策の実施などを通じて、秩序のとれた、安全で規則的かつ責任ある移住や流動性を促進する。

10.a　世界貿易機関（WTO）協定に従い、開発途上国、特に後発開発途上国に対する特別かつ異なる待遇の原則を実施する。

10.b　各国の国家計画やプログラムに従って、後発開発途上国、アフリカ諸国、小島嶼開発途上国及び内陸開発途上国を始めとする、ニーズが最も大きい国々への、政府開発援助（ODA）及び海外直接投資を含む資金の流入を促進する。

10.c　2030 年までに、移住労働者による送金コストを 3% 未満に引き下げ、コストが 5% を越える送金経路を撤廃する。

JLwarehouse / Shutterstock.com

目標：11

包摂的で安全かつ強靱（レジリエント）で持続可能な都市及び人間居住を実現する

世界が直面している主な課題・問題

●世界中でスラムに住んでいる都市人口の割合は、2000年から2014年の間に28%から23%に減少したが、2018年には23.5%に増加しており、依然、スラムに類似した環境に住む都市住民は10億人以上もいる。

●都市住民の50%が公共交通機関への便利なアクセス（バス停または少人数交通システムから徒歩500メートル以内、または鉄道駅またはフェリー乗り場から1,000メートル以内に暮らしていること）ができていない。

● 2010年～2016年の間に、世界人口の50%以上が住むエリアの大気は悪化しており、2016年時点で都市住民10人中9人が汚染された空気の中で生活している。

ターゲット

11.1　2030年までに、すべての人々の、適切、安全かつ安価な住宅及び基本的サービスへのアクセスを確保し、スラムを改善する。

11.2　2030年までに、脆弱な立場にある人々、女性、子ども、障害者及び高齢者のニーズに特に配慮し、公共交通機関の拡大などを通じた交通の安全性改善により、すべての人々に、安全かつ安価で容易に利用できる、持続可能な輸送システムへのアクセスを提供する。

11.3　2030年までに、包摂的かつ持続可能な都市化を促進し、すべての国々の参加型、包摂的かつ持続可能な人間居住計画・管理の能力を強化する。

11.4　世界の文化遺産及び自然遺産の保護・保全の努力を強化する。

11.5　2030年までに、貧困層及び脆弱な立場にある人々の保護に焦点をあてながら、水関連災害などの災害による死者や被災者数を大幅に削減し、世界の国内総生産比で直接的経済損失を大幅に減らす。

11.6　2030年までに、大気の質及び一般ならびにその他の廃棄物の管理に特別な注意を払うことによるものを含め、都市の一人当たりの環境上の悪影響を軽減する。

11.7　2030年までに、女性、子ども、高齢者及び障害者を含め、人々に安全で包摂的かつ利用が容易な緑地や公共スペースへの普遍的アクセスを提供する。

11.a　各国・地域規模の開発計画の強化を通じて、経済、社会、環境面における都市部、都市周辺部及び農村部間の良好なつながりを支援する。

11.b　2020年までに、包含、資源効率、気候変動の緩和と適応、災害に対する強靱さ（レジリエンス）を目指す総合的政策及び計画を導入・実施した都市及び人間居住地の件数を大幅に増加させ、仙台防災枠組2015-2030に沿って、あらゆるレベルでの総合的な災害リスク管理の策定と実施を行う。

11.c　財政的及び技術的な支援などを通じて、後発開発途上国における現地の資材を用いた、持続可能かつ強靱（レジリエント）な建造物の整備を支援する。

byvalet / Shutterstock.com

目標:12

持続可能な
生産消費形態を確保する

世界が直面している主な課題・問題

●消費された天然資源量を表す指標である「マテリアルフットプリント」は、全世界で人口と経済の成長をしのぐ勢いで急拡大している。2010年に732億メートルトンだったが、2017年には859億メートルトンにまで増加した。

●小売および消費段階での食品廃棄物の割合を推定することはまだ不可能だが、収穫後および輸送、保管、処理中に失われる食品の割合は、世界で13.8%であり、年間4,000億ドルを超える。地域別では「中央アジアと南アジア」が20.7%と最も高く、「ヨーロッパと北アメリカ(15.7%)」がそれに続く。最も低いエリアは、「オーストラリアとニュージーランド」で5.8%となっている。

ターゲット

12.1 開発途上国の開発状況や能力を勘案しつつ、持続可能な消費と生産に関する10年計画枠組み(10YFP)を実施し、先進国主導の下、すべての国々が対策を講じる。

12.2 2030年までに天然資源の持続可能な管理及び効率的な利用を達成する。

12.3 2030年までに小売・消費レベルにおける世界全体の一人当たりの食料の廃棄を半減させ、収穫後損失などの生産・サプライチェーンにおける食品ロスを減少させる。

12.4 2020年までに、合意された国際的な枠組みに従い、製品ライフサイクルを通じ、環境上適正な化学物質やすべての廃棄物の管理を実現し、人の健康や環境への悪影響を最小化するため、化学物質や廃棄物の大気、水、土壌への放出を大幅に削減する。

12.5 2030年までに、廃棄物の発生防止、削減、再生利用及び再利用により、廃棄物の発生を大幅に削減する。

12.6 特に大企業や多国籍企業などの企業に対し、持続可能な取り組みを導入し、持続可能性に関する情報を定期報告に盛り込むよう奨励する。

12.7 国内の政策や優先事項に従って持続可能な公共調達の慣行を促進する。

12.8 2030年までに、人々があらゆる場所において、持続可能な開発及び自然と調和したライフスタイルに関する情報と意識を持つようにする。

12.a 開発途上国に対し、より持続可能な消費・生産形態の促進のための科学的・技術的能力の強化を支援する。

12.b 雇用創出、地方の文化振興・産品販促につながる持続可能な観光業に対して持続可能な開発がもたらす影響を測定する手法を開発・導入する。

12.c 開発途上国の特別なニーズや状況を十分考慮し、貧困層やコミュニティを保護する形で開発に関する悪影響を最小限に留めつつ、税制改正や、有害な補助金が存在する場合はその環境への影響を考慮してその段階的廃止などを通じ、各国の状況に応じて、市場のひずみを除去することで、浪費的な消費を奨励する、化石燃料に対する非効率な補助金を合理化する。

Su Justen / Shutterstock.com

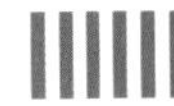

目標:13

気候変動及び その影響を軽減するための 緊急対策を講じる

世界が直面している主な課題・問題

● 2019 年の地球の平均気温は、過去 2 番目に高かった。このままだと 2100 年までに世界の平均気温は 3.2℃上昇する可能性がある。

●パリ協定は地球温暖化を 1.5° C に制限することを求めている。これには世界の排出量を 2030 年までに 2010 年のレベルから 45%急減させ、2050 年までに正味ゼロ排出量を達成する必要がある。

●新型コロナウイルスの影響により、2020 年の温室効果ガス排出量は 6%減少するかもしれないが、パリ協定が努力目標として掲げる 1.5℃の上昇幅に抑えるために必要な年 7.6%ずつの排出量削減には及んでいない。

ターゲット

13.1　すべての国々において、気候関連災害や自然災害に対する強靭性（レジリエンス）及び適応の能力を強化する。

13.2　気候変動対策を国別の政策、戦略及び計画に盛り込む。

13.3　気候変動の緩和、適応、影響軽減及び早期警戒に関する教育、啓発、人的能力及び制度機能を改善する。

13.a　重要な緩和行動の実施とその実施における透明性確保に関する開発途上国のニーズに対応するため、2020 年までにあらゆる供給源から年間 1,000 億ドルを共同で動員するという、UNFCCC の先進締約国によるコミットメントを実施するとともに、可能な限り速やかに資本を投入して緑の気候基金を本格始動させる。

13.b　後発開発途上国及び小島嶼開発途上国において、女性や青年、地方及び社会的に疎外されたコミュニティに焦点を当てることを含め、気候変動関連の効果的な計画策定と管理のための能力を向上するメカニズムを推進する。

sleepingpanda / Shutterstock.com

目標：14

持続可能な開発のために海洋・海洋資源を保全し、持続可能な形で利用する

世界が直面している主な課題・問題

●海洋が二酸化炭素（CO_2）を吸収することで大気中の CO_2 濃度の上昇が抑えられているが、海洋中に CO_2 が蓄積されて酸性化が進行すると海洋生態系へ悪影響を及ぼす。産業革命以前に比べて海洋酸性度は 26%上昇しており、現在の CO_2 排出率では今世紀末までに酸性度が 100 ～ 150%増加してしまう。
●生物学的に持続可能なレベルにある海産魚資源の割合は、1974 年の 90.0%から 2017 年には 65.8% まで減少した。海域別では地中海・黒海地域が 37.5%と最も低く、次に東南太平洋地域（45.5%）が続く。一方、東中央太平洋、南西太平洋、北東太平洋では 83%を超えている。
● KBA（生物多様性の保全の鍵になる重要な地域）として保護される海域は、2000 年の 30.5%から 2019 年には 46.0%に増加した。しかし、後発開発途上国と小島嶼開発途上国は、それぞれ 25.4%、23.7%と大きく遅れをとっている。

ターゲット

14.1　2025 年までに、海洋ごみや富栄養化を含む、特に陸上活動による汚染など、あらゆる種類の海洋汚染を防止し、大幅に削減する。
14.2　2020 年までに、海洋及び沿岸の生態系に関する重大な悪影響を回避するため、強靭性（レジリエンス）の強化などによる持続的な管理と保護を行い、健全で生産的な海洋を実現するため、海洋及び沿岸の生態系の回復のための取り組みを行う。
14.3　あらゆるレベルでの科学的協力の促進などを通じて、海洋酸性化の影響を最小限化し、対処する。
14.4　水産資源を、実現可能な最短期間で少なくとも各資源の生物学的特性によって定められる最大持続生産量のレベルまで回復させるため、2020 年までに、漁獲を効果的に規制し、過剰漁業や違法・無報告・無規制（IUU）漁業及び破壊的な漁業慣行を終了し、科学的な管理計画を実施する。
14.5　2020 年までに、国内法及び国際法に則り、最大限入手可能な科学情報に基づいて、少なくとも沿岸域及び海域の 10 パーセントを保全する。
14.6　開発途上国及び後発開発途上国に対する適切かつ効果的な、特別かつ異なる待遇が、世界貿易機関（WTO）漁業補助金交渉の不可分の要素であるべきことを認識した上で、2020 年までに、過剰漁獲能力や過剰漁獲につながる漁業補助金を禁止し、違法・無報告・無規制（IUU）漁業につながる補助金を撤廃し、同様の新たな補助金の導入を抑制する。
14.7　2030 年までに、漁業、水産養殖及び観光の持続可能な管理などを通じ、小島嶼開発途上国及び後発開発途上国の海洋資源の持続的な利用による経済的便益を増大させる。
14.a　海洋の健全性の改善と、開発途上国、特に小島嶼開発途上国および後発開発途上国の開発における海洋生物多様性の寄与向上のために、海洋技術の移転に関するユネスコ政府間海洋学委員会の基準・ガイドラインを勘案しつつ、科学的知識の増進、研究能力の向上、及び海洋技術の移転を行う。
14.b　小規模・沿岸零細漁業者に対し、海洋資源及び市場へのアクセスを提供する。
14.c　「我々の求める未来」のパラグラフ 158 において想起されるとおり、海洋及び海洋資源の保全及び持続可能な利用のための法的枠組みを規定する海洋法に関する国際連合条約（UNCLOS）に反映されている国際法を実施することにより、海洋及び海洋資源の保全及び持続可能な利用を強化する。

JLwarehouse / Shutterstock.com

目標：15

陸域生態系の保護、回復、持続可能な利用の推進、持続可能な森林の経営、砂漠化への対処、ならびに土地の劣化の阻止・回復及び生物多様性の損失を阻止する

世界が直面している主な課題・問題

- 人間の活動によって自然のバランスが崩れ、世界の種の絶滅リスクは過去30年間で約10%悪化した。絶滅の危機に瀕している3万1,000種以上に及び、レッドリストインデックス（0～1の範囲で示され、0はすべての種が絶滅したことを示す）は1990年の0.82から2020年には0.73まで低下した。
- 2010年から2015年にかけて年1,200万ヘクタール減少した森林（新規植林を考慮しない）だが、2015年から2020年は減少ペースが鈍化し、年1,000万ヘクタールの減少となった。
- 鳥インフルエンザやエボラ出血熱などの新しい感染症の75%は人獣共通感染症であり、野生生物から人に感染する。

ターゲット

15.1　2020年までに、国際協定の下での義務に則って、森林、湿地、山地及び乾燥地をはじめとする陸域生態系と内陸淡水生態系及びそれらのサービスの保全、回復及び持続可能な利用を確保する。

15.2　2020年までに、あらゆる種類の森林の持続可能な経営の実施を促進し、森林減少を阻止し、劣化した森林を回復し、世界全体で新規植林及び再植林を大幅に増加させる。

15.3　2030年までに、砂漠化に対処し、砂漠化、干ばつ及び洪水の影響を受けた土地などの劣化した土地と土壌を回復し、土地劣化に荷担しない世界の達成に尽力する。

15.4　2030年までに持続可能な開発に不可欠な便益をもたらす山地生態系の能力を強化するため、生物多様性を含む山地生態系の保全を確実に行う。

15.5　自然生息地の劣化を抑制し、生物多様性の損失を阻止し、2020年までに絶滅危惧種を保護し、また絶滅防止するための緊急かつ意味のある対策を講じる。

15.6　国際合意に基づき、遺伝資源の利用から生ずる利益の公正かつ衡平な配分を推進するとともに、遺伝資源への適切なアクセスを推進する。

15.7　保護の対象となっている動植物種の密猟及び違法取引を撲滅するための緊急対策を講じるとともに、違法な野生生物製品の需要と供給の両面に対処する。

15.8　2020年までに、外来種の侵入を防止するとともに、これらの種による陸域・海洋生態系への影響を大幅に減少させるための対策を導入し、さらに優先種の駆除または根絶を行う。

15.9　2020年までに、生態系と生物多様性の価値を、国や地方の計画策定、開発プロセス及び貧困削減のための戦略及び会計に組み込む。

15.a　生物多様性と生態系の保全と持続的な利用のために、あらゆる資金源からの資金の動員及び大幅な増額を行う。

15.b　保全や再植林を含む持続可能な森林経営を推進するため、あらゆるレベルのあらゆる供給源から、持続可能な森林経営のための資金の調達と開発途上国への十分なインセンティブ付与のための相当量の資源を動員する。

15.c　持続的な生計機会を追求するために地域コミュニティの能力向上を図る等、保護種の密猟及び違法な取引に対処するための努力に対する世界的な支援を強化する。

Travel Stock / Shutterstock.com

目標：16

持続可能な開発のための平和で包摂的な社会を促進し、すべての人々に司法へのアクセスを提供し、あらゆるレベルにおいて効果的で説明責任のある包摂的な制度を構築する

世界が直面している主な課題・問題

●世界的に殺人は減少傾向にある。殺人被害者は、2000年に人口10万人あたりの6.8人だったが、2015年には5.9人、2018年には5.8人になった。世界中の殺人被害者約44万人の内訳は男性が81%、女性が19%で、地域別では、サハラ以南のアフリカが36%、ラテンアメリカ・カリブ海諸国が33%で、このふたつの地域で3分の2を占める。

●2016年に世界中で把握された人身売買の被害者のうち、30%が子ども（23%が女児、7%が男児）だった。こうした人身売買の多くは性的搾取や強制労働に関係している。

●2015年から2017年の間に起こった武力紛争12件で少なくとも10万6,806人の民間人が死亡した。そのうち8人に1人は女性または子どもだった。2019年には10の紛争で2万人以上の民間人が死亡または負傷したことが判明しているが、これは実際の一部と見られる。

●2019年に人権擁護活動家、ジャーナリスト、労働組合員が47カ国で357人殺害され、30人が失踪している。

ターゲット

16.1　あらゆる場所において、すべての形態の暴力及び暴力に関連する死亡率を大幅に減少させる。

16.2　子どもに対する虐待、搾取、取引及びあらゆる形態の暴力及び拷問を撲滅する。

16.3　国家及び国際的なレベルでの法の支配を促進し、すべての人々に司法への平等なアクセスを提供する。

16.4　2030年までに、違法な資金及び武器の取引を大幅に減少させ、奪われた財産の回復及び返還を強化し、あらゆる形態の組織犯罪を根絶する。

16.5　あらゆる形態の汚職や贈賄を大幅に減少させる。

16.6　あらゆるレベルにおいて、有効で説明責任のある透明性の高い公共機関を発展させる。

16.7　あらゆるレベルにおいて、対応的、包摂的、参加型及び代表的な意思決定を確保する。

16.8　グローバル・ガバナンス機関への開発途上国の参加を拡大・強化する。

16.9　2030年までに、すべての人々に出生登録を含む法的な身分証明を提供する。

16.10　国内法規及び国際協定に従い、情報への公共アクセスを確保し、基本的自由を保障する。

16.a　特に開発途上国において、暴力の防止とテロリズム・犯罪の撲滅に関するあらゆるレベルでの能力構築のため、国際協力などを通じて関連国家機関を強化する。

16.b　持続可能な開発のための非差別的な法規及び政策を推進し、実施する。

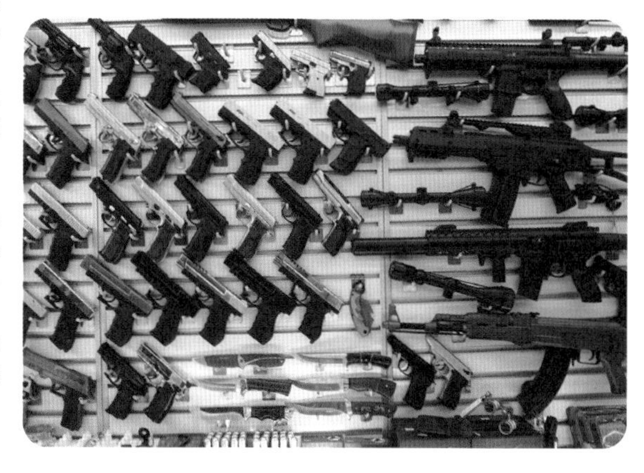

Yasemin Yurtman Candemir / Shutterstock.com

目標:17

持続可能な開発のための実施手段を強化し、グローバル・パートナーシップを活性化する

世界が直面している主な課題・問題

●2019年の正味ODA（政府開発援助）の総額は1,474億ドルで、2018年からわずかに減少したが、アフリカと後発開発途上国への正味二国間援助は、それぞれ2018年から1.3%（370億ドル）と2.6%（330億ドル）増加した。

● 2018年の途上国への海外直接投資（FDI）は2%増加して7,060億ドルになったが、パンデミックによる投資の遅れによって、2020年には最大40%、2021年にはさらに5～10%減少すると予想されている。

●新型コロナウイルスによってロックダウンされると、多くの人は自宅でのテレワーク、オンラインショッピングなど、インターネットに頼った生活を送ることになった。しかし、2019年末の時点でインターネットを利用しているの53.6%（約41億人）にとどまっている。2018年には、オーストラリアとニュージーランドを除くオセアニアでは、人口の20%とサハラ以南アフリカでは26%しかインターネットを使用していなかった。一方、ヨーロッパと北アメリカは84%、オーストラリアとニュジーランドでは87%と地域間格差が大きくなっている。

ターゲット

＜資金＞

17.1　課税及び徴税能力の向上のため、開発途上国への国際的な支援なども通じて、国内資源の動員を強化する。

17.2　先進国は、開発途上国に対するODAをGNI比0.7%に、後発開発途上国に対するODAをGNI比0.15～0.20%にするという目標を達成するとの多くの国によるコミットメントを含むODAに係るコミットメントを完全に実施する。ODA供与国が、少なくともGNI比0.20%のODAを後発開発途上国に供与するという目標の設定を検討することを奨励する。

17.3　複数の財源から、開発途上国のための追加的資金源を動員する。

17.4　必要に応じた負債による資金調達、債務救済及び債務再編の促進を目的とした協調的な政策により、開発途上国の長期的な債務の持続可能性の実現を支援し、重債務貧困国（HIPC）の対外債務への対応により債務リスクを軽減する。

17.5　後発開発途上国のための投資促進枠組みを導入及び実施する。

＜技術＞

17.6　科学技術イノベーション（STI）及びこれらへのアクセスに関する南北協力、南南協力及び地域的・国際的な三角協力を向上させる。また、国連レベルをはじめとする既存のメカニズム間の調整改善や、全世界的な技術促進メカニズムなどを通じて、相互に合意した条件において知識共有を進める。

17.7　開発途上国に対し、譲許的・特恵的条件などの相互に合意した有利な条件の下で、環境に配慮した技術の開発、移転、普及及び拡散を促進する。

17.8　2017年までに、後発開発途上国のための技術バンク及び科学技術イノベーション能力構築メカニズムを完全運用させ、情報通信技術（ICT）をはじめとする実現技術の利用を強化する。

＜能力構築＞

17.9　すべての持続可能な開発目標を実施するための国家計画を支援するべく、南北協力、南南協力及び三角協力などを通じて、開発途上国における効果的かつ的をしぼった能力構築の実施に対する国際的な支援を強化する。

<貿易>

17.10　ドーハ・ラウンド（DDA）交渉の受諾を含むWTOの下での普遍的でルールに基づいた、差別的でない、公平な多角的貿易体制を促進する。

17.11　開発途上国による輸出を大幅に増加させ、特に2020年までに世界の輸出に占める後発開発途上国のシェアを倍増させる。

17.12　後発開発途上国からの輸入に対する特恵的な原産地規則が透明で簡略的かつ市場アクセスの円滑化に寄与するものとなるようにすることを含む世界貿易機関（WTO）の決定に矛盾しない形で、すべての後発開発途上国に対し、永続的な無税・無枠の市場アクセスを適時実施する。

<体制面>

政策・制度的整合性

17.13　政策協調や政策の首尾一貫性などを通じて、世界的なマクロ経済の安定を促進する。

17.14　持続可能な開発のための政策の一貫性を強化する。

17.15　貧困撲滅と持続可能な開発のための政策の確立・実施にあたっては、各国の政策空間及びリーダーシップを尊重する。

<マルチステークホルダー・パートナーシップ>

17.16　すべての国々、特に開発途上国での持続可能な開発目標の達成を支援すべく、知識、専門的知見、技術及び資金源を動員、共有するマルチステークホルダー・パートナーシップによって補完しつつ、持続可能な開発のためのグローバル・パートナーシップを強化する。

17.17　さまざまなパートナーシップの経験や資源戦略を基にした、効果的な公的、官民、市民社会のパートナーシップを奨励・推進する。

<データ、モニタリング、説明責任>

17.18　2020年までに、後発開発途上国及び小島嶼開発途上国を含む開発途上国に対する能力構築支援を強化し、所得、性別、年齢、人種、民族、居住資格、障害、地理的位置及びその他各国事情に関連する特性別の質が高く、タイムリーかつ信頼性のある非集計型データの入手可能性を向上させる。

17.19　2030年までに、持続可能な開発の進捗状況を測るGDP以外の尺度を開発する既存の取り組みを更に前進させ、開発途上国における統計に関する能力構築を支援する。

Travel Stock / Shutterstock.com

おわりに

2030年までに達成しなければならないSDGsの進捗は、残念ながら順調とはいえません。今を生きる私たちだけでなく、これからの未来があるためにも達成に向けた行動を加速する必要があります。

個人としてできることをしていくことは大切ですが、目標⑰が「パートナーシップで目標を達成しよう」となっているように、国レベルはもちろんのこと、企業、個人など、さまざまなところで協力しながら取り組むことなくして、SDGsの達成はあり得ません。

なかでも重要なのは、これまでに環境破壊や児童労働など、少なくない問題を起こしてきた企業が環境に必要以上の負荷をかけたり、人権を侵害することなく取り組みを持続することです。

企業がSDGsに取り組むことはコストと考えがちですが、本書でも述べたとおり、SDGsには多くのビジネスチャンスが眠っていますから、積極的に関与したほうが企業の未来にとっても有益になるはずです。

本書がSDGsの理解を深めることの一助になれば、これほどうれしいことはありません。

2020年10月
バウンド

Index

英数字

あ行

Index

か 行

さ 行

た 行

な 行

は 行

ま 行

や 行

ら 行

わ 行

■装丁 ………………… 井上新八
■本文・図版デザイン ……… 山本真琴（design.m）
■担当 ………………… 宮崎主哉
■編集／DTP ……………… バウンド

図解即戦力 SDGsの考え方と取り組みがこれ1冊でしっかりわかる教科書

2020年11月 7日 初版 第1刷発行
2021年11月 20日 初版 第4刷発行

著 者　　バウンド
発行者　　片岡　巌
発行所　　株式会社技術評論社
　　　　　東京都新宿区市谷左内町21-13
電話　03-3513-6150　販売促進部
　　　03-3513-6160　書籍編集部
印刷／製本　株式会社加藤文明社

ISBN978-4-297-11629-3 C0034　　Printed in Japan

■お問い合わせについて
・ご質問は本書に記載されている内容に関するものに限定させていただきます。本書の内容と関係のないご質問には一切お答えできませんので、あらかじめご了承ください。
・電話でのご質問は一切受け付けておりませんので、FAXまたは書面にて下記問い合わせ先までお送りください。また、ご質問の際には書名と該当ページ、返信先を明記してくださいますようお願いいたします。
・お送り頂いたご質問には、できる限り迅速にお答えできるよう努力いたしておりますが、お答えするまでに時間がかかる場合がございます。また、回答の期日をご指定いただいた場合でも、ご希望にお応えできるとは限りませんので、あらかじめご了承ください。
・ご質問の際に記載された個人情報は、ご質問への回答以外の目的には使用しません。また、回答後は速やかに破棄いたします。

■問い合わせ先
〒162-0846
東京都新宿区市谷左内町21-13
株式会社技術評論社
書籍編集部
「図解即戦力 SDGsの考え方と取り組みがこれ1冊でしっかりわかる教科書」係
FAX：03-3513-6167
技術評論社ホームページ
https://book.gihyo.jp/116